HISTOIRES POUR S'ENDORMIR

Ecrites et adaptées par Philip Hawthorn
Illustrations : Stephen Cartwright
Maquette : Amanda Barlow
Sous la direction de : Jenny Tyler

Remerciements à : Ray Gibson, Ronald Lloyd et Christopher Rawson
Traduction : Renée Chaspoul

Sommaire

Des petits canards jaunes se cachent dans ce livre. Combien en trouves-tu ?

LA PETITE POULE ROUSSE

 Dans une maisonnette vivaient un cochon, un chat, un canard et une petite poule rousse. La petite poule était toujours à la tâche, elle passait sa journée à nettoyer la maison, à faire briller les carreaux et à bêcher au jardin. Les trois autres animaux étaient très paresseux et ne faisaient jamais rien.

Un jour, la petite poule rousse trouva un grain de blé.

« Qui va m'aider à planter ce grain de blé ? demanda-t-elle.

— Pas moi, grogna le cochon en soupirant.

— Pas moi, ronronna le chat couché sur le tapis.

— Pas moi », ajouta avec un « coin-coin » le canard dans la mare.

La petite poule rousse planta donc son grain de blé toute seule.

Durant le printemps et l'été, le grain poussa, mûrit et devint un bel épi doré. La petite poule rousse sut alors qu'il était temps de moissonner.

« Qui va m'aider à moissonner le blé ? demanda-t-elle.

— Pas moi, grogna le cochon en soupirant.

— Pas moi, ronronna le chat confortablement allongé sur son tapis.

— Pas moi », dit le canard en éclaboussant avec un « coin-coin ».

La petite poule rousse moissonna donc le blé toute seule. Elle picota la tige pour la faire tomber. Puis elle égrena le blé et rangea soigneusement les grains dans un mouchoir – tous sauf quatre, qu'elle conserva dans un tiroir.

« Qui va m'aider à porter le blé au moulin pour le faire moudre ? demanda-t-elle.

— Pas moi, soupira le cochon dans sa boue.

— Pas moi, ronronna le chat roulé en boule sur le tapis.

— Pas moi », dit avec un « coin-coin » le canard qui nageait.

La petite poule rousse emporta donc toute seule les grains de blé au meunier et lui demanda de les moudre en farine.

Quelques jours plus tard, un petit sac de farine fut livré à la maisonnette où vivaient les animaux.

« Ah, bien ! dit la petite poule rousse qui cria : qui va m'aider à faire du pain avec cette farine ?

— Pas moi, dit le cochon, je dors dans ma porcherie.

— Pas moi, ronronna le chat, je dors sur mon tapis.

— Pas moi, renchérit le canard avec un « coin-coin » tonitruant.

— Très bien, soupira la petite poule rousse. Je vais le faire toute seule. »

Elle alla à la cuisine, versa la farine sur la table, ajouta de l'eau et de la levure, puis pétrit le mélange pour en faire une pâte. Lorsque celle-ci fut levée, elle la mit à cuire au four.

Bientôt, une odeur de pain frais se répandit dans la maison, dans le jardin et même jusqu'à la mare.

Lorsque l'odeur arriva au cochon, il plissa le groin et eut soudain très faim. Il s'extirpa de la boue et partit en trottinant vers la maison. Le chat suivait et le canard venait derrière.

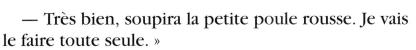

Ils arrivèrent dans la cuisine au moment où la petite poule rousse ouvrait la porte du four. A l'intérieur se trouvait la plus délicieuse miche de pain qu'aucun d'eux eût jamais vue.

« Maintenant, qui va m'aider à manger mon pain ? demanda la poule.

— Moi ! cria le cochon en grognant de joie.

— Et moi ! ronronna le chat. C'est l'heure de mon repas.

— Et moi ! dit avec un « coin-coin » le canard qui se dandinait.

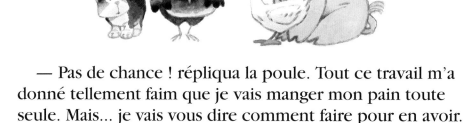

— Pas de chance ! répliqua la poule. Tout ce travail m'a donné tellement faim que je vais manger mon pain toute seule. Mais... je vais vous dire comment faire pour en avoir.

— Comment ? » demandèrent-ils avec empressement. La petite poule rousse sortit du tiroir trois des quatre grains de blé qu'elle avait gardés et en donna un à chacun.

« Plantez-le ! » dit la poule. Le cochon, le chat et le canard partirent planter leur grain. « Je planterai le mien lorsque j'aurai mangé », pensa la poule. Et elle s'assit et savoura son pain – jusqu'à la dernière miette.

BOUTONNET

Un soir, une vieille femme était assise sur sa chaise au coin d'un bon feu. Elle allait s'assoupir lorsque la porte s'ouvrit brusquement et sa petite fille entra.

« Bonjour, grand-mère ! » hurla la fillette tout excitée en courant vers la vieille femme pour l'embrasser.

« As-tu passé de bonnes vacances ? demanda la grand-mère.

— Super, merci. Nous sommes allés à un endroit du nom de Lillia, et tu sais quoi ? Le jour de notre départ, tous les gens marchaient un doigt sur...

— Sur le bout du nez pour l'aplatir, comme un bouton ? acheva la vieille femme.

— Oui ! dit la fillette. Comment le sais-tu ? »

La vieille femme soupira. La lueur du feu éclairait à peine l'étincelle qui brillait dans ses yeux lorsqu'elle raconta à sa petite fille l'histoire suivante...

Voici bien longtemps, dans le pays de Lillia, vivaient un pauvre paysan et sa femme. Il y avait à peine un an qu'ils étaient mariés qu'ils eurent un fils. C'était un bel enfant, mais en grandissant, ses parents se rendirent compte qu'une partie de son corps ne grandissait pas : son nez. Celui-ci demeurait tout petit, rond et rose – comme un bouton. Les autres enfants lui couraient après en criant « Boutonnet, Boutonnet ! » Ce qui le rendait triste, car il mourait d'envie d'être leur ami et de jouer avec eux.

Un jour, Boutonnet était déjà grand (à l'exception de son nez, bien sûr !), une chose terrible arriva. Une méchante sorcière du nom de Noisette jeta un sort au roi et à la reine de Lillia, les confinant en haut d'une tour de verre. Personne ne pouvait les sauver, car il était impossible d'escalader la tour.

La sorcière prit le pouvoir à Lillia et tout le monde eut peur. A partir de ce jour-là, plus aucun oiseau ne chanta, les fleurs moururent et chacun parlait en murmurant, sans sourire. Le pauvre Boutonnet travaillait au palais, où il était chargé de toutes les corvées telles que chasser les rats des cuisines, aller chercher du bois à la cave et nettoyer les cabinets.

11

Un soir, Boutonnet entendit des hurlements et des gémissements en provenance de la salle à manger. Il alla voir ce qu'il en était et découvrit la sorcière en train de chanter. Elle fêtait son anniversaire et avait bu pour l'occasion trois bouteilles de vin. Un peu nerveux et avalant sa salive, Boutonnet souhaita un joyeux anniversaire à la sorcière.

« Tu as rrrraison, dit la sorcière d'une voix rauque. Joyeux... Je suis la reine de tout le pays et personne ne peut m'enlever ce pouvoir. »

Se sentant tout à coup plein d'audace, Boutonnet dit :

« Vous devez être très intelligente, Sorcière Noisette, car personne ne sait comment rompre votre sort pour libérer le vieux roi et la reine.

— Bien sûr que non. Comment les gens peuvent-ils savoir que la seule façon de le rompre est de me montrer quelque chose que personne n'a jamais vu auparavant ? répliqua la sorcière. Et même s'ils le savaient, ils ne trouveraient jamais rien, car dès qu'ils auraient trouvé la chose, ils la verraient – donc lorsque moi je la verrais, ils auraient déjà posé leurs yeux dessus avant... tu comprends ? »

La sorcière gloussa et se remit à chanter... si fort que les fenêtres en tremblèrent et le chat se précipita sous l'escalier, les pattes sur les oreilles.

Boutonnet passa une nuit agitée. Il voulait trouver quelque chose que personne n'avait jamais vu avant.

Le lendemain, il dit à la sorcière qu'il y avait des gens dehors avec des cadeaux pour elle. Malgré un violent mal de tête, ceci émoustilla beaucoup la sorcière, qui mit une grosse couronne de rubis qu'elle avait trouvée dans le coffre à bijoux.

« Qu'on fasse entrer les paysans porteurs de cadeaux ! » cria-t-elle de sa voix la plus majestueuse.

La porte s'ouvrit et le garde-chasse royal entra, portant un plat d'argent contenant un superbe poisson. Ses écailles étincelaient de rouge, de bleu, de vert, et sa queue argentée ressemblait à un rayon de lune.

Les genoux tremblants, Boutonnet dit :

« Je parie que personne n'a jamais vu un poisson comme celui-ci auparavant.

— Ne sois pas stupide, rétorqua vertement la sorcière. Cet idiot l'a bien vu lui-même lorsqu'il l'a attrapé. En parlant d'attraper, espérais-tu que je me laisserais prendre à ton tour sournois ?

— Euh, non, Votre Majesté, qu'est-ce qui vous a donné cette idée ? » dit-il en essayant de ne pas rougir. Puis, réfléchissant bien vite, il ajouta :

« Moi aussi j'ai un cadeau pour vous.

— Ah ? dit la sorcière en levant un sourcil.

— Votre Majesté, je voudrais vous donner ceci ! »

Et Boutonnet sortit une assiette sur laquelle étaient posés une pomme verte luisante et un couteau.

« Une pomme ? s'écria la sorcière. En voilà un cadeau pour une Personne Royale telle que moi !

— Regardez simplement à l'intérieur, Votre Majesté, la pria Boutonnet. Vous allez avoir une surprise. »

La sorcière s'assit. Elle pensait qu'il y avait peut-être un bijou à l'intérieur. Elle saisit le couteau, coupa la pomme en deux et regarda les deux moitiés.

« Eh bien, jeune imbécile, il n'y a rien là-dedans ! » cria-t-elle.

En un éclair, il n'y eut plus rien de la sorcière non plus. Elle disparut dans un nuage de fumée et à sa place, se trouvèrent le roi et la reine. Le tour de Boutonnet avait marché et le sort était rompu, car la sorcière avait regardé l'intérieur de la pomme, que jamais personne n'avait vu auparavant.

En guise de reconnaissance, le roi et la reine promurent Boutonnet majordome. Et ils décrétèrent en son honneur que chaque année, le jour de son anniversaire, tout le monde devrait appùyer sur son nez – pour l'aplatir comme un bouton.

LA SOUPE AU CLOU

Un soir d'hiver, alors que le soleil allait se coucher, un vagabond frappa à la porte d'une maisonnette pour demander l'hospitalité.

« Bon ! Entrez, bougonna la vieille femme qui habitait là. Mais ne vous attendez pas à ce que je vous donne à manger, mon placard est aussi dégarni qu'un panier percé. »

Le vagabond, transi et affamé, s'assit au coin d'un feu sans joie. Il lui vint alors une idée. En souriant, il sortit un vieux clou de sa poche.

« Ce clou que voilà est magique, dit-il. La nuit dernière, j'ai fait avec la meilleure soupe que j'aie jamais goûtée.

— Une soupe au clou ? Je n'ai jamais rien entendu d'aussi stupide de ma vie, dit la femme en fronçant les sourcils.

— C'est vrai, continua le vagabond. Il suffit de le faire bouillir dans une casserole. Vous voulez essayer ? »

Bien que vraiment peu convaincue, la vieille femme décida de jouer le jeu.

« D'accord, dit-elle. Mais vous devez me montrer comment faire.

— Bon ! D'abord il nous faut une marmite à moitié remplie d'eau », dit le vagabond.

La vieille femme alla chercher une marmite que l'homme mit sur le poêle. Il jeta le clou dedans et ajouta :

« Avec sa rouille ce clou fera
Une délicieuse soupe, je le crois. »

Puis il s'assit et attendit. Au bout d'un moment la curiosité de la femme fut attisée, elle regarda dans la marmite.

« La nuit dernière, j'ai ajouté du sel et du poivre. Ce qui a fait d'une soupe ordinaire une bonne soupe », déclara le vagabond.

La vieille femme alla donc à son placard chercher du sel et du poivre et en mit un peu dans l'eau.

Après quelques minutes, elle jeta de nouveau un coup d'œil dans la marmite.

« Dommage que vous n'ayez rien à manger, insinua le vagabond en caressant sa barbe. Un seul oignon aurait fait de cette bonne soupe une très bonne soupe.

— Je suis sûre que je vais en trouver un », dit la femme, dont la curiosité ne cessait d'augmenter. Elle alla regarder dans son garde-manger. Lorsqu'elle ouvrit la porte, le vagabond vit que les étagères croulaient sous le poids d'aliments divers.

« Eh bien, quelle vieille avare ! » pensa-t-il.

Il attendit un moment, tout en remuant l'oignon dans la soupe en silence. Puis il dit :

« Dommage que vous n'ayez pas de carottes ni de pommes de terre pour accompagner cet oignon, ou un navet. Ils auraient fait de cette très bonne soupe une soupe extrêmement bonne. »

18

La femme commençait maintenant à avoir l'estomac vide et elle disparut de nouveau dans le garde-manger. Elle en ressortit avec une brassée de légumes frais qu'elle éplucha et coupa en morceaux. Le vagabond les mit dans la marmite.

« Ça avance bien, dit-il, mais je vais vous dire...

— Quoi ? s'enquit la femme, dont l'estomac gargouillait aussi fort qu'un bruit de tonnerre dans le lointain.

— De la viande bien tendre et maigre ferait de cette soupe extrêmement bonne une soupe extraordinairement bonne. » La femme courut presque au garde-manger et en revint avec un énorme morceau de bœuf qu'elle coupa et donna au vagabond pour qu'il l'ajoute à la soupe.

A présent, la soupe commençait à sentir délicieusement bon. Le vagabond dit :

« Dommage de devoir manger une soupe extraordinairement bonne à une table si ennuyeusement vide. Je suis d'avis que tout plat a meilleur goût lorsqu'il est servi sur une table bien mise, ne croyez-vous pas ?

— Bien sûr », acquiesça la femme. Ne voulant pas gâcher la soupe, elle alla chercher sa plus belle nappe et la mit sur la table. Puis elle sortit des assiettes à soupe en

19

porcelaine, des cuillères en argent étincelantes et même des chandeliers avec des bougies.

Le vagabond continua à remuer la soupe, puis il dit :

« Dommage que vous n'ayez rien à manger dans la maison, car un peu de pain ferait de cette soupe extraordinairement bonne une soupe tout simplement suuuper. » De nouveau la femme courut au garde-manger et en rapporta cette fois une miche de pain qu'elle avait cuite le matin même.

Enfin, le vagabond soupira et bougea la tête.

« Qu'y a-t-il ? demanda la femme, l'odeur de la soupe lui mettant l'eau à la bouche.

— J'étais justement en train de penser que c'est bien dommage que nous n'ayons pas de vin pour accompagner la soupe. Vous voyez, le vin ferait de... »

Mais la femme n'écoutait pas.

« Je suis sûre que j'en ai quelque part », dit-elle en se précipitant à son garde-manger. Elle revint avec une belle bouteille de vin vieux et deux de ses plus beaux verres.

« Maintenant, je crois que la soupe est prête », dit le vagabond en retirant avec précaution le clou qu'il remit dans sa poche. Ils s'assirent à la table et firent un vrai festin.

Lorsqu'elle eut fini, la vieille femme déclara que c'était la meilleure soupe qu'elle eût jamais goûtée. Pour le remercier, elle offrit ensuite au vagabond du fromage, de la tarte aux pommes et des chocolats, qu'ils mangèrent en buvant une autre bouteille de vin.

Puis ils se racontèrent des histoires et des plaisanteries jusqu'à ce que les bougies s'éteignent.

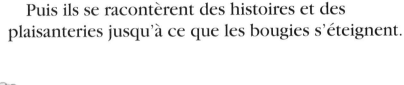

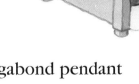

La vieille femme donna son lit au vagabond pendant qu'elle sommeillait dans son fauteuil.

Et inutile de parier de quoi ils rêvèrent : de la soupe au clou tout simplement suuuper.

LE TRAIN ET LE DRAGON

Il était une fois une ville qui s'appelait Mirliton. Près de cette ville se dressait une montagne, et sur cette montagne vivait un dragon sympathique du nom de Lance-Flammes. Il adorait les trains à vapeur. Peut-être était-ce parce qu'ils soufflaient de la vapeur un peu comme lui ; ou parce qu'ils transportaient des tonnes de sa nourriture préférée, le charbon. Le fait est que rien ne le rendait plus heureux que de voler à côté d'un train – en particulier, l'express de Mirliton.

L'ennui, c'est que les voyageurs ignoraient que c'était un gentil dragon. A chaque fois que Lance-Flammes apparaissait, ils hurlaient :

« C'est un dragon ! Vite, cachons-nous ! Il va nous griller comme du maïs avec son souffle ! »

Lance-Flammes devait donc se contenter de suivre le train haut dans le ciel, hors de vue des passagers inquiets.

Mirliton était situé dans un grand pays, gouverné par une grande reine, la Bonne Reine Marguerite. Pour le jour de l'an, elle avait coutume de choisir une ville de son royaume afin de lui rendre une visite royale spéciale. La cité devenait alors La Ville Royale de l'année et recevait une statue en or de la reine. C'était le plus grand honneur que puisse souhaiter une ville.

Un jour, alors que les habitants de Mirliton vaquaient à leurs occupations quotidiennes, un messager à cheval arriva au galop sur la place du marché.

« Ecoutez tous ! proclama-t-il d'une voix forte aux habitants qui s'assemblaient déjà. Sachez que Son Altesse Royale la Bonne Reine Marguerite a choisi d'accorder à l'humble ville de Mirliton le plus insigne honneur qu'une ville...

— Finissez-en, l'interrompit un homme.

— Oui, on gèle ici », ajouta une femme. La foule acquiesça en maugréant.

Le messager soupira, posa son parchemin et dit :

« Votre ville sera la prochaine Ville Royale.

— Hourra ! Hourra ! Chouette ! » crièrent les gens. Puis ils tirèrent l'homme à bas de son cheval et lui donnèrent une assiette avec des tartines de miel et une grande tasse de thé. Le cheval, lui, eut droit à un seau d'avoine.

« La reine viendra l'annoncer officiellement le premier de l'an », ajouta le messager entre deux bouchées. Il finit ensuite de boire son thé à grand bruit, grimpa sur son cheval et repartit sur la route en hoquetant bruyamment en chemin.

Les jours suivants, tout le monde fut très occupé à remettre la ville en ordre. Elle fut balayée, nettoyée, frottée et astiquée en vue de la visite royale. Les boîtes

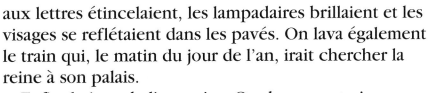

aux lettres étincelaient, les lampadaires brillaient et les visages se reflétaient dans les pavés. On lava également le train qui, le matin du jour de l'an, irait chercher la reine à son palais.

Enfin, le jour de l'an arriva. On donna au train un dernier coup de chiffon et on déplia le tapis rouge destiné à accueillir la Personne la Plus Importante à sa descente du train. Les habitants montèrent à bord ; ils étaient si excités qu'ils ne remarquèrent même pas qu'il s'était mis à neiger. L'express de Mirliton quitta la gare dans un nuage de fumée et partit en direction du palais. Lance-Flammes suivait de loin, sans se faire voir. La neige continuait à tomber.

Lorsque le train arriva au palais, la neige atteignait presque la cheminée. Le wagon royal de la reine fut attaché au reste du convoi et tout fut prêt pour le voyage du retour. Mais le train eut beau souffler, haleter et lancer tant et plus de teuf-teuf, il restait complètement immobile. Il était bloqué par la neige.

« Oh, mon dieu ! dit la reine. Quelle histoire ! Il m'est impossible d'aller à Mirliton aujourd'hui. Je vais devoir trouver une autre ville plus proche. Je suis désolée. »

Les passagers étaient très déçus. Certains versèrent une larme, d'autres regardaient simplement par la fenêtre la neige qui continuait à tomber, pensant qu'ils ne seraient probablement pas choisis une autre fois. Même le train avait l'air triste.

Soudain, dans les nuages gris et neigeux, retentirent un bruissement d'ailes et le crépitement d'un souffle ardent.

« C'est le dragon ! s'écrièrent-ils. Comme si ça n'allait pas assez mal comme ça, maintenant il est venu nous achever. » Ils se mirent les mains sur la tête, s'attendant à être transformés en cendres.

Mais ils s'aperçurent bientôt que le train avançait.

Ils regardèrent par la fenêtre et virent quelque chose d'assez extraordinaire. Assis à l'avant du train, soufflant tout le feu dont il était capable, se trouvait Lance-Flammes. La neige sur la voie fondait sous la chaleur de son souffle et le train prenait lentement la direction du retour.

Tous se mirent à acclamer l'animal :

« Hourra pour... comment s'appelle le dragon ?

— Lance-Flammes, cria ce dernier entre deux ronflements brûlants.

— Hourra pour Lance-Flammes ! Hip, hip, hip, hourra ! » reprirent-ils en chœur. Même la reine se joignit à eux.

Le train rentra à Mirliton et les festivités commencèrent. La Bonne Reine Marguerite fit un discours, ils assistèrent tous au plus grand banquet que la ville ait jamais donné – et qui croyez-vous fut l'invité d'honneur ?

Lance-Flammes, bien sûr ! Il prit place à la table de la reine, le chapeau du mécanicien sur la tête, croquant son assiettée de charbon.

Par la suite, Lance-Flammes fut autorisé à voyager sur le train à chaque fois qu'il le désirait. On lui permit même d'entrer dans la cabine, à condition de promettre de ne pas manger tout le charbon. Il était très utile lorsqu'il fallait activer le feu de la locomotive pour grimper les collines vraiment abruptes.

Lorsque la statue en or envoyée par la reine arriva, elle portait ces mots :

« A la Ville Royale de Mirliton
et son Train Dragon. »

27

LA PRINCESSE ET
LE PETIT POIS

Il y a longtemps, existait un pays où le sommet des montagnes était enneigé, où verdoyaient de riches pâturages et où les gens étaient heureux. Dans ce pays vivait un prince qui était si beau, si aimable et si bon que toutes les jeunes filles en tombaient amoureuses. Mais le prince était difficile : il ne voulait épouser qu'une princesse, une vraie princesse.

Il partit très loin en quête de sa princesse idéale, mais il y avait toujours quelque chose qui ne convenait pas. Elles étaient ou trop grandes pour lui, ou trop petites, ou elles étaient trop grincheuses et ne souriaient jamais. Après plusieurs mois de recherche, le prince rentra chez lui et déclara au roi et à la reine :

« C'est inutile, je n'arrive pas à trouver une princesse qui me plaise assez pour l'épouser. Il me faudra vivre seul jusqu'à la fin de mes jours. »

La semaine d'après, une terrible tempête souffla sur le palais royal. La neige battait contre les fenêtres et s'engouffrait en sifflant dans la moindre fissure. Au milieu de la nuit, on frappa timidement à la porte.

Le roi se leva.

« Qui cela peut-il être par une nuit pareille ? » demanda-t-il.

Il descendit et traversa le vestibule d'un pas traînant. Il entrouvrit la porte en bâillant et, à la lumière qui se répandit dans la nuit, il aperçut une jeune fille. Elle était à moitié couverte de neige et grelottait.

« Ma pauvre enfant, dit le roi, entrez vous chauffer au coin du feu.

— Mm...mmerci », murmura la jeune fille, qui avait du mal à ne pas claquer des dents. Elle alla s'asseoir près du feu et le roi lui fit chauffer un peu de lait. Pendant ce temps, la reine et le prince les avaient rejoints.

« Je cherchais le palais, mais il était beaucoup plus loin que je ne le pensais, dit la jeune fille, que le prince trouvait plutôt jolie. Voyez-vous, je suis une princesse. » Le prince écarquilla les yeux et son cœur se mit à battre plus fort.

La reine savait exactement ce que pensait son fils, mais elle crut que la jeune fille prétendait seulement être une princesse. Elle lui demanda de passer la nuit au palais, afin de pouvoir lui tendre un piège.

Pendant que la jeune fille prenait un bon bain
bien chaud, la reine alla préparer sa chambre.
D'abord, elle mit un petit pois sec sous le matelas
du lit. Puis elle envoya deux servantes chercher
d'autres matelas et édredons dans toutes les autres
chambres du palais. En tout, elles en trouvèrent
vingt de chaque. Elles les empilèrent les uns sur les
autres : d'abord les matelas, puis les édredons –
jusqu'à ce qu'ils atteignent presque le plafond.

Lorsque la jeune fille fut prête à se coucher, elle dut monter à une grande échelle pour aller dans son lit.

« Bonne nuit, dit la reine, qui ajouta à voix basse : demain matin, nous saurons si oui ou non tu es une vraie princesse ».

Le lendemain matin, au petit déjeuner, la reine demanda à la jeune fille si elle avait bien dormi.

« Vous avez été très bonne pour moi, répondit celle-ci, un peu gênée, et je ne veux pas faire preuve d'ingratitude, mais je n'ai pas pu fermer l'œil, car je sentais quelque chose de petit et de dur dans mon lit. »

Voyant que le roi, la reine et le prince se regardaient en souriant, la jeune fille ajouta, en colère :

« Eh bien, je ne sais pas ce qui vous rend tous si heureux, mais je suis à présent aussi meurtrie qu'une vieille pomme !

— Nous sourions car, pour sentir quelque chose d'aussi minuscule qu'un petit pois à travers toutes ces épaisseurs douillettes, vous devez être une vraie princesse, dit le prince. Euh... voulez-vous m'épouser ? »

L'expression renfrognée de la jeune fille se transforma en un large sourire et elle se jeta dans les bras du prince.

Le prince et la princesse vécurent heureux pendant de longues années. Ils eurent sept enfants, auxquels ils donnèrent à chacun un prénom commençant par « P » parce que c'est ainsi que leur amour avait commencé – avec un petit pois.

LA FEMME DU CHÂTELAIN

Il était une fois un vieux châtelain qui était très riche. Ses poches étaient pleines à craquer d'argent et son gilet était tendu sur son gros ventre tout rond. Il habitait une maison immense et possédait toutes les terres à perte de vue. Il avait tout ce qu'un homme peut désirer, tout sauf une chose, une femme. Il décida donc de se mettre en quête.

« Je suis si riche que je peux choisir qui je veux, dit-il à son chien. Elles vont faire la queue pour m'épouser. »

Un jour, le vieux châtelain admirait ses champs de blé doré lorsqu'il aperçut la fille du fermier.

« Oh ! Oh ! s'exclama-t-il. Je vois là une future femme. Si jeune ! Si forte ! »

Ses yeux se rétrécirent cupidement :

« Et j'économiserai des sous quand elle sera ma femme, car je n'aurai pas à la payer pour travailler. » Il invita donc la jeune fille à venir dans sa demeure l'après-midi même.

Lorsqu'elle arriva, il déclara pompeusement :

« J'ai des nouvelles pour vous. J'ai décidé de me marier, et c'est vous que j'ai choisie pour femme.

— Vraiment ? répondit la fille du fermier. Eh bien, moi aussi j'ai des nouvelles pour vous, je n'ai pas envie de me marier. Et même si j'en avais envie, vous êtes bien la dernière personne que je choisirais. »

Le châtelain n'en croyait pas ses oreilles.

« Mais... mais... vous plaisantez ! bredouilla-t-il.

— J'en ai l'air ? répliqua-t-elle. Ma réponse est "non" et restera "non" jusqu'à ce que les vaches pondent des œufs et les cochons volent ! »

Avant qu'il puisse ajouter un mot, elle quitta la maison d'un air décidé.

Le visage du châtelain vira au rouge vif et, tapant du pied de colère, il envoya chercher le fermier.

« Votre progéniture est aussi têtue qu'une vieille mûle paresseuse ! rugit-il. Je vais vous dire : si vous la persuadez de m'épouser, vous ne payerez plus jamais de fermage. » Puis, pointant du doigt par la fenêtre : « Et qui plus est, je vous donne ce pré, celui qui est plein de coquelicots et de marguerites. »

Alors là... cela faisait des années que le fermier convoitait ce pré – et plus de fermage non plus ! Il dit :

« Eh bien, monsieur, cette idiote de fille qui est la mienne n'a jamais su ce qui valait mieux pour elle. Peut-être, si nous nous y mettons à deux, trouverons-nous un arrangement qui satisfera tout le monde. »

Ainsi dit ainsi fait, voici le plan qu'ils mirent au point. Le châtelain organiserait le mariage, avec invités, gâteau et une superbe robe tout prêts. Puis, le jour du mariage, le fermier dirait à sa fille qu'elle était demandée à la grande maison pour y travailler. Ils étaient certains que lorsqu'elle arriverait, à la vue de tout ce monde assemblé pour le mariage, elle n'oserait pas dire non.

Quelques semaines plus tard, le jour du mariage, le châtelain appela son valet d'écurie et lui ordonna :

« Va vite chez le fermier chercher ce qu'il m'a promis. »

Le garçon partit en courant et, rencontrant le fermier sur la route, il lui dit :

« S'il vous plaît, monsieur, je suis venu chercher ce que vous avez promis au châtelain.

— Ah oui, répondit le fermier en souriant, elle est là-bas dans le pré. »

Le garçon détala de nouveau et arriva bientôt dans le pré où la fille du fermier était occupée à râteler le foin.

« Mademoiselle, dit-il en haletant, je suis venu chercher ce que votre père a promis au châtelain. »

La jeune fille comprit aussitôt ce que les deux hommes manigançaient. Montrant du doigt la vieille jument grise qui paissait l'herbe pas loin, elle dit :

« Elle est là, emmène-la. »

36

Le valet d'écurie sauta sur la jument et rentra au galop à la demeure du châtelain aussi vite que possible – pas très vite en fait, car la jument était très vieille. Puis il appela à la fenêtre du châtelain :

« Excusez-moi, maître, je l'ai amenée. Elle est en bas.

— Bravo ! dit le châtelain, croyant que le garçon avait amené la fille du fermier. Fais-la monter à l'ancienne chambre de ma mère.

— Mais, monsieur...! s'écria le garçon.

— Pas de mais qui tienne, garçon. Fais ce que je te dis, immédiatement ! » gronda le châtelain.

Ce ne fut pas chose facile que de persuader la jument de monter l'escalier. Le garçon d'écurie poussa avec force gémissements, les autres serviteurs l'aidèrent en grommelant. Ce manège dura plus d'une heure, jusqu'à ce qu'enfin, ils réussissent à faire entrer l'animal dans la chambre.

« Ça y est ! cria le garçon d'écurie. Qu'elle est têtue !
— Oh pour ça oui ! acquiesça le châtelain. A présent, va vite chercher les servantes et mettez-lui sa robe de mariée, il n'y a pas de temps à perdre. »

Le garçon n'en croyait pas ses oreilles, mais malgré tout, il exécuta les ordres du châtelain. Les servantes hurlèrent de rire en tirant sur la robe pour qu'elle recouvre la croupe de la jument. Enfin, elles posèrent le voile de mariée entre ses oreilles.

« Elle est prête ! cria de nouveau le garçon.

— Bien, fais-la descendre, ouvre la porte et annonce la mariée à tous mes invités, dit le châtelain en vérifiant sa coiffure dans un miroir.

— D'accord, monsieur », dit le garçon.

Avec beaucoup de coups et de tapes, ils firent descendre la vieille jument grise. Le garçon ouvrit grand la porte d'entrée et tous les invités qui étaient assemblés dans le jardin se retournèrent pour voir la mariée. La jument était là, son voile de travers, en train de mâchonner le bouquet nuptial.

Il y eut un silence étonné de quelques secondes, puis les invités, les servantes et le garçon d'écurie se mirent à rire bruyamment. La pauvre vieille jument eut si peur qu'elle repartit au galop vers la tranquillité de son pré. Quant au châtelain, il fut si abasourdi qu'il s'assit sur son chapeau et l'aplatit.

Dans un champ lointain, la fille du fermier chantait en travaillant. Ce faisant, elle pensait à son avenir, sans l'ombre d'un châtelain.

LE ROI QUI AVAIT TROIS ENFANTS

Il y a longtemps, dans un pays lointain, vivait un vieux roi qui avait trois enfants. Ils s'appelaient prince Crispin, prince Horace et princesse Emilie. Le roi les aimait tous tendrement, mais il savait qu'il devait en choisir un pour être le futur roi ou la future reine. A mesure que le roi vieillissait, son inquiétude grandissait. Elle le tenait éveillé la nuit.

« Lequel est le mieux capable de régner ? » demandait-il à son nounours.

Puis un matin, il s'éveilla avec une idée. Il fit venir ses enfants dans la salle du trône et dit :

« Vous savez que je vous aime tous. » Ils firent un signe de tête affirmatif. « Mais je ne peux en choisir qu'un pour régner à ma mort. Je vais donc vous faire subir une épreuve. » Il porta la main à sa poche. « Voici une pièce d'or pour chacun de vous. Celui qui s'en servira pour remplir le palais de haut en bas sera le futur roi ou la future reine. »

Bien que les enfants royaux se fissent un peu de souci, car le palais comportait soixante-quinze pièces et des kilomètres de corridors, ils décidèrent que l'épreuve était juste. Chacun partit donc en quête de quelque chose qui remplirait la demeure.

Le prince Crispin alla s'asseoir dans le jardin du palais pour réfléchir. Sur un arbre voisin, il aperçut un oiseau en train de construire son nid avec des brindilles et des plumes.

« C'est ça ! s'écria-t-il. Des plumes ! Avec ma pièce d'or, je pourrais acheter des millions de plumes, elles rempliront facilement le palais. » Il partit donc voir l'homme qui fabriquait des lits de plumes.

« Combien de plumes me vendriez-vous pour cette pièce d'or ? » demanda le prince Crispin.

L'homme écarquilla les yeux à la vue de l'or.

« Cinq wagons pleins, répliqua-t-il.

— Marché conclu ! » dit le prince Crispin.

Et bientôt il repartit à cheval vers le palais avec cinq wagons et un grand sourire.

Le prince Horace se rendit au marché. Il examina les rouleaux de tissu, les bocaux de confiture et les chapelets d'oignons.

« Oh, mon dieu ! soupira-t-il. Une pièce d'or n'achètera pas assez de ces choses pour remplir le palais. »

Il s'apprêtait à renoncer lorsqu'il entendit un berger qui jouait de la flûte. Il lui vint aussitôt une idée qui le remplit de joie.

« Veux-tu me vendre ta flûte pour une pièce d'or ? demanda le prince Horace au berger.

— Et comment ! » fut la réponse. Le prince donna donc la pièce et sur tout le chemin du retour, il joua un air gai sur sa nouvelle flûte.

La princesse Emilie chercha toute la journée dans la ville quelque chose à acheter.

« C'est inutile, dit-elle. Le palais est trop grand. Je n'aurai qu'à dire à Père que j'ai échoué. »

C'est alors qu'au coin de la rue, son œil fut attiré par une lueur en provenance d'une petite boutique. Elle regarda par la fenêtre et aperçut le marchand qui allumait des bougies et les mettait ensuite dans des lanternes.

« Bien sûr ! » s'exclama la princesse. Elle se précipita dans la boutique et acheta autant de bougies qu'elle put. Puis elle retourna en courant au palais avec son paquet, plus heureuse qu'une puce sur un chien hirsute.

Ce soir-là, dans la salle du trône, le roi dit à ses trois enfants :

« Montrez-moi ce que vous avez acheté, pour que je puisse choisir celui qui me succédera. »

Le prince Crispin apporta ses plumes, qui s'envolèrent partout et firent éternuer tout le monde. Une fois en place, elles ne remplirent que vingt salles du palais.

« Bien, un bon essai ! dit le roi.

— Oh, zut alors ! » s'écria le prince.

Le prince Horace sortit la flûte qu'il avait achetée. Il la porta à ses lèvres et se mit à jouer. Lorsqu'il eut fini, tout le monde paraissait très étonné.

« Ne comprenez-vous pas ? dit le prince, j'ai rempli le palais de musique.

— Excellent ! dit le roi. Personne ne pourra faire mieux.

— Un moment, Père, dit la princesse Emilie. Ne devrions-nous pas vérifier que la musique est arrivée jusqu'à la cave et au grenier ?

— Fort juste », dit le roi, qui envoya deux serviteurs tout en haut et tout en bas du palais. « A présent, Horace, recommence à jouer. » Son fils joua un air plus fort.

Au bout d'un moment, les serviteurs revinrent.

« Quand allez-vous commencer ? » demandèrent-ils.

Le prince Crispin sourit.

« Ils n'ont pas entendu la musique, elle n'a donc pas rempli tout le palais.

— Oh, zut alors ! » s'exclama Horace.

C'était à présent au tour de la princesse Emilie. Tout le monde rit en voyant son petit paquet.

Elle l'ouvrit et envoya les serviteurs mettre des bougies dans des lanternes partout dans le palais.

« Veillez à mettre une lanterne dans chaque pièce, ordonna-t-elle. Et n'oubliez pas la cave ni le grenier. »

Puis elle partit allumer elle-même chaque bougie.

« Voilà, Père, dit la princesse. J'ai rempli tout le palais... de lumière. »

Le roi, ravi, embrassa sa fille.

« Tu as gagné, un ban pour la future reine !

— Et deux fois zut ! » s'exclamèrent ses frères.

La princesse Emilie fut une bonne reine, qui rendit son peuple très heureux. Par la suite, tous les ans, pour fêter son anniversaire, on allumait des bougies dans toutes les maisons. Ce qui signifiait que non seulement le palais, mais le pays entier, étaient remplis de lumière.

Le Soleil Et
Le Vent

Le vent avait été en colère toute la semaine. Dans le tourbillon de sa mauvaise humeur, il avait abattu des arbres, piétiné des champs de blé et il avait envoyé voler dans le jardin la cheminée de la maisonnette de madame Pomme, évitant son chat de justesse.

Il était si grincheux qu'il chercha querelle au soleil.

« Je suis bien plus fort que toi, se vanta-t-il. Tu ne peux pas abattre des arbres ou presque écraser un chat comme moi. Je pourrais même souffler des nuages devant toi et faire obstacle à tes rayons. Je suis plus puissant que quoi que ce soit au monde. »

Le soleil adressa un sourire au vent et répliqua d'une voix douce :

« Je sais que tu peux faire tout cela, mais ça ne veut pas dire que tu sois plus puissant que moi.

— Bien sûr que si, tête brûlée », rugit le vent, qui envoya une brusque rafale en direction de quelques cochons, ce qui redressa presque leur queue.

« Faisons un
concours pour voir
qui est le plus fort.

— D'accord, dit le soleil.
Tu vois cet homme qui marche
sur la route... Eh bien, c'est à
celui de nous deux qui arrivera
à lui enlever son manteau.

— Ah ! s'esclaffa le vent, sûr de lui, je peux faire
ça avant que tu aies dit "Siffle et souffle, voilà la
tempête".

— Nous verrons, dit le soleil. A toi d'abord. »

Le vent prit une profonde inspiration, puis il gonfla
ses joues et se mit à souffler une bourrasque fantastique.
Il s'en prit au manteau de l'homme, tirant dessus pour le
lui enlever. Mais cela ne marcha pas, car plus le vent
soufflait, plus l'homme serrait sa ceinture et
s'enveloppait dans son manteau.

Le vent rugit et siffla de toutes ses forces ; c'était
presque un ouragan. Il fit même tomber l'homme une
fois.

Le vent souffla jusqu'à n'en plus pouvoir. Enfin, il se
tourna vers le soleil et, hors d'haleine, il murmura d'une
voix rauque :

« J'abandonne... à toi maintenant. »

Avec un large sourire, le soleil se mit à briller sur le pauvre homme de tous ses rayons. Bientôt, celui-ci dut s'arrêter pour s'essuyer le front avec un grand mouchoir à pois.

« D'un instant à l'autre maintenant », dit le soleil en dardant des rayons super brûlants. Et à coup sûr, avant que l'homme ait fait trente pas de plus, il s'arrêta et posa de nouveau sa valise. Il grimaça en direction du soleil, gonfla les joues... et enleva son manteau.

« Hourra ! s'écria le soleil, rayonnant. Regarde ça, j'ai réussi ! »

Le vent siffla de colère, il savait à présent qu'il n'était pas le plus fort du monde. Encore haletant, il put seulement dire :

« Oh, que diable ! »

LES TROIS SOUHAITS

Max était un pauvre bûcheron qui habitait avec sa femme, Elsa, une maisonnette à l'orée d'une vaste forêt.

Un jour, alors qu'il s'apprêtait à abattre un chêne géant, il aperçut une fée des bois voletant sous une branche. Il n'avait jamais vu de fée auparavant.

« Peut-être que je rêve », se dit-il en se frottant les yeux.

Mais lorsqu'il les rouvrit, la fée était toujours là.

« Bonjour, dit la minuscule créature. Si tu épargnes ce chêne, les trois prochains souhaits que toi ou ta femme ferez se réaliseront. » Et elle disparut. Max laissa donc le chêne et passa à un autre arbre.

Il travailla dur tout le jour et lorsqu'il rentra chez lui, il était si fatigué qu'il avait complètement oublié la fée et les trois souhaits.

« J'ai faim, qu'est-ce qu'on mange ce soir ? demanda-t-il.

— De la soupe de pommes de terre, répondit Elsa. On n'a pas assez d'argent pour acheter de la viande.

— Encore ! grommela Max. Je vais finir par ressembler à une pomme de terre. Je voudrais bien avoir une bonne saucisse pour changer un peu. »

A peine avait-il parlé que retentit un « Dring ! », et une énorme saucisse apparut sur la table. Max se rappela alors la fée et il parla aussitôt des trois souhaits à sa femme. Lorsqu'il eut fini, Elsa était furieuse.

« Espèce d'imbécile, tu as gaspillé un de nos précieux souhaits sur une saucisse ! Je voudrais bien qu'elle se colle au bout de ton nez. »

Aussitôt, il y eut un autre « Dring ! », la saucisse s'envola de la table et alla se fixer au bout du nez de Max.

Lorsqu'il se mit à parler, on aurait dit qu'il avait un gros rhume. « Regarde ce que tu as fait, marmonna-t-il. Essaie de la tirer. »

Elsa essaya, mais la saucisse était bel et bien collée.

Elle finit par dire :

« Demandons tout l'or et les bijoux du monde, nous pourrons ainsi prendre du bon temps.

— Ne sois pas stupide. Cobent pourrais-je b'abuser alors que tout le bonde b'appellerait nez en saucisse ? répliqua Max. Oh, je voudrais bien que ceci ne soit jabais arrivé. »

« Dring ! » La saucisse disparut, et avec elle leur troisième et dernier souhait. Ils s'assirent devant leur soupe de pommes de terre, se disputant pour savoir de qui c'était la faute. Si seulement ils avaient mangé la saucisse lorsqu'elle était apparue, il leur serait encore resté deux souhaits.

Si tu avais trois souhaits à faire, que demanderais-tu ?

LE ROSSIGNOL

Bien avant l'époque des voitures, des ordinateurs et des corn-flakes, vivait un empereur du nom de Choo Ning. Il était empereur de Chine – un homme très puissant. Son palais était le plus grand et le plus beau du monde, avec des jardins magnifiques, si vastes que Choo Ning n'en avait même pas vu la plupart. Ils s'étendaient sur des kilomètres, depuis les champs jusqu'à un lac, puis au-delà jusqu'à une forêt où vivait un rossignol. De l'autre côté de la forêt, il y avait la mer. La nuit, les pêcheurs passaient à la dérive, jetant leurs filets en silence et priant pour avoir une bonne prise. Ils percevaient alors le chant du rossignol. Pour eux, c'était le signe que leurs prières avaient été entendues.

Des voyageurs importants venant de nombreux pays rendaient visite à l'empereur dans son palais. Lorsqu'ils rentraient chez eux, ils racontaient leurs aventures, et parlaient toujours du rossignol et de son chant merveilleux.

Un jour, un livre arriva, envoyé par la reine de France. Elle s'était rendue en Chine l'été précédent et avait écrit des récits de voyages. Choo Ning lut l'ouvrage avec grand plaisir, jusqu'à ce qu'il tombe sur ces mots : « L'empereur de Chine possède bien des choses étonnantes, mais la plus surprenante de toutes est le rossignol. »

L'empereur n'avait jamais entendu parler d'un rossignol. Il fit venir son premier conseiller et lui demanda :

« Qu'est-ce qu'un rossignol ? C'est supposé être ce que je possède de mieux, mais je n'ai aucune idée de ce que c'est. Trouve ou tu devras nettoyer à fond les cages des cochons d'Inde royaux pendant un an. »

Le premier conseiller traversa précipitamment le palais, demandant à tous ce qu'était un rossignol. Personne ne savait.

Il arriva enfin à la cuisine, où une jeune servante remuait la soupe du dîner.

« Un rossignol ? dit-elle. C'est un oiseau, bien sûr. Il chante toutes les nuits dans la forêt.

— Va le chercher immédiatement ! ordonna le premier conseiller.

— Seulement si vous remuez cette soupe, dit la jeune fille. Et dites s'il vous plaît.»

Le conseiller était si désespéré qu'il fit ce qu'elle lui demandait.

La jeune fille courut à la forêt et trouva bientôt l'arbre dans lequel chantait toujours le rossignol.

« Excuse-moi, Rossignol, voudrais-tu venir au palais chanter pour l'empereur, s'il te plaît ?

— Très bien », dit l'oiseau.

Plus tard, dans la soirée, l'empereur s'assit à sa table de banquet en or, face à un perchoir en or sur lequel avait été posé le rossignol. L'empereur fit un signe de la tête et le rossignol se mit à chanter. Il chanta plusieurs airs ; chacun était si beau que des larmes de joie coulèrent bientôt sur les joues de l'empereur, et sa barbe en fut toute trempée.

« Je vais te garder ici dans une cage, dit l'empereur lorsque l'oiseau eut fini. Ainsi, tu pourras chanter pour moi tous les jours.

— Mais Empereur, répliqua le rossignol, je chante des chansons de liberté.

— Ne t'inquiète pas, ce sera une cage en or, la plus précieuse de Chine, sinon du monde ».

Le rossignol implora alors :

« On ne peut pas connaître la valeur d'une chose par son apparence. Ce qui se trouve à l'intérieur est bien plus important. Comment puis-je faire mon nid si je suis dans une cage, même si elle est dorée ? »

Mais l'empereur avait pris sa décision et l'oiseau fut mis en cage. Tous les soirs, il chantait pour l'empereur Choo Ning.

Quelques semaines plus tard, un colis arriva pour l'empereur. Il portait cette étiquette : « Pour l'empereur Choo Ning. Je suis très satisfait de ma visite. J'ai beaucoup aimé écouter votre rossignol, mais que pensez-vous de celui-ci ? Meilleurs souhaits de l'empereur du Japon. »

Choo Ning ouvrit le paquet et y trouva un superbe

rossignol d'or et d'argent, incrusté de pierreries. Sur le côté il y avait une clé. C'était un rossignol mécanique qui, une fois remonté, chantait un chant merveilleux.

« Allez chercher le vrai oiseau. Nous verrons lequel chante le mieux », dit l'empereur.

On amena le rossignol et les deux oiseaux chantèrent. L'empereur dit alors :

« Hum, je suppose que le vieil oiseau chante davantage d'airs, mais il a l'air bien moche. Regardez comme le nouvel oiseau brille et étincelle. »

A présent, tout le monde s'émerveillait de l'oiseau mécanique et voulait entendre son unique chant. Le premier conseiller dut remonter l'oiseau cinquante fois. Et cinquante fois celui-ci chanta le même air.

« Maintenant, réécoutons le vieux rossignol minable », dit l'empereur. Mais lorsqu'ils regardèrent dans la cage dorée, elle était vide. Dans l'agitation, la porte s'était ouverte et le rossignol s'était envolé.

« Quelle insolence ! s'exclama l'empereur. Cet oiseau ne sera plus jamais admis au palais. »

Pendant un an, l'empereur écouta le rossignol mécanique aussi souvent que possible. Tous les visiteurs s'émerveillaient de la splendeur de l'oiseau orné de joyaux et de son chant divin. Mais un jour, alors qu'il chantait pour la reine de Siam, il y eut un « bbrrr, clic ! » – et l'oiseau se tut.

On fit venir l'horlogère royale. Elle examina l'intérieur de l'oiseau, puis, secouant la tête, dit :

« Votre Excellence, les pièces du mécanisme sont très usées. J'ai fait tout mon possible, mais on ne devrait faire chanter l'oiseau qu'une fois par jour. »

Choo Ning s'assombrit. Il souriait seulement lorsque le rossignol mécanique chantait son unique chant tous les jours, et même alors, il souhaitait qu'il pût chanter d'autres airs.

Plusieurs années passèrent et l'empereur était maintenant alité, malade, proche de la mort. De temps en temps, il ouvrait les yeux pour regarder l'oiseau d'or et d'argent.

« S'il te plaît, chante pour moi », suppliait-il.

Mais il y avait bien longtemps que l'oiseau était cassé et il contemplait l'empereur de ses yeux vides. C'est alors que celui-ci entendit un chant par la fenêtre : un chant étrange, mais familier. Il tourna la tête et aperçut le vrai rossignol qui se posait sur le rebord de sa fenêtre.

L'oiseau avait répondu à la prière de l'empereur et encore une fois, il chanta des airs que celui-ci n'avait pas entendus depuis bien des années. Enfin, Choo Ning poussa un profond soupir et ferma les yeux.

A son réveil, le rossignol était toujours là.

« Tu m'as sauvé la vie, dit-il. Continueras-tu à venir si je promets de te laisser retourner dans ta forêt ?

— Oui, répondit le rossignol. Mais seulement si vous promettez aussi de ne parler de moi à personne. Ainsi, on me laissera en paix. »

L'empereur acquiesça d'un signe de tête.

« Très bien, dit-il.

— Alors, je viendrai, continua l'oiseau. Et je vous chanterai des lieux et des choses que vous ne pouvez voir de votre palais. Mes chants feront de vous un puissant dirigeant. Je vous ai déjà montré une des choses les plus importantes à savoir : que l'on ne peut juger la valeur d'une personne d'après son apparence. »

Choo Ning regarda son vieux rossignol mécanique; à ce moment-là, une de ses ailes se détacha et tomba au sol dans un cliquetis. L'empereur sourit et bougea de nouveau la tête.

L'empereur se leva donc, à la surprise de tous. Il vécut encore de longues années, et avec l'aide du rossignol, devint l'un des empereurs les plus sages et les meilleurs que la Chine eût jamais eus.

UNE FEMME INTELLIGENTE

Au sommet d'une petite colline élevée vivaient une femme du nom de Millie Binet et son mari. Celui-ci était un homme énorme, avec des muscles d'acier. Personne ne connaissait son prénom. On l'appelait simplement Gros Benêt.

La maison des Binet posait deux problèmes. D'abord, elle était orientée au nord, donc un vent froid s'engouffrait continuellement en sifflant sous les portes et les fenêtres, même en été. Ensuite, leur puits se trouvait au pied de la colline, et Millie avait beaucoup de mal à remonter le seau plein.

Gros Benêt était paresseux. Il faisait tout faire à sa femme pendant que lui se vantait de sa force.

« Je suis le plus fort de tout le pays », disait-il. Et pour le prouver, il lançait un rocher à six champs de l'autre côté de la vallée.

« Ma force peut vaincre n'importe quoi.

— Il vaut mieux en avoir dans la tête, répliquait Millie, la plus intelligente des deux.

— Eh bien, ce ne doit pas être ton cas si tu crois ça », rétorquait Gros Benêt, riant à la pensée de s'être montré plus malin que sa femme.

Mais la semaine d'après, Millie Binet eut

l'occasion de prouver ce qu'elle avançait.

Un vendredi, au déjeuner, alors que Millie revenait de la ville avec les courses de la semaine…

« Es-tu sûr que tu es le plus fort du pays ? demanda-t-elle à Gros Benêt, occupé à lire le journal.

— Bien sûr que oui, tonna-t-il. Pourquoi ?

— Eh bien, il y a un homme en ville qui prétend que c'est lui le plus fort », fut la réponse.

Gros Benêt s'arrêta de lire et parut soudain très inquiet.

« Mesure-t-il plus de deux mètres, avec une barbe et des cheveux roux, un regard fixe et des poings aussi gros qu'une pastèque ? » demanda-t-il.

Sa femme réfléchit un instant.

« Oui, c'est lui. Il s'appelle… euh ! comment déjà ?

— Boris, dit doucement Gros Benêt, l'œil hagard.

— Oui, c'est ça. Tu le connais ?

— Si je le connais ? hurla Gros Benêt. Je crains de t'avoir menti tout ce temps. Ce n'est pas moi le plus fort du pays, c'est lui. Mais ça fait des années qu'il est dans le Sud, je ne pensais pas qu'il viendrait par ici. »

Il s'interrompit pour réfléchir.

« Peut-être n'est-il ici que pour la journée… Oui, c'est ça, maintenant il doit être reparti chez lui.

— Oh que non, dit Millie en regardant par la fenêtre. Il traverse juste la vallée et vient vers la maison, regarde ! »

Gros Benêt se mit à hurler, bondit et courut autour de la pièce comme un fou.

« Il va me rouer de coups, me cogner, m'estropier ! Qu'est-ce que je vais faire ?

— Eh bien... dit sa femme.

— Millie, tu n'as pas une idée, par hasard ?

— Que feras-tu si je t'aide ? demanda-t-elle.

— Tout ce que tu voudras, répliqua-t-il, en devenant plus blanc qu'un ours polaire dans une tempête de neige.

— Bon, dit-elle en réussissant à le faire entrer dans un petit lit dans un coin de la pièce. Reste là, ne dis rien et prends ça. » Elle lui tendit une grosse pierre.

Dix longues minutes passèrent. Puis on frappa à la porte, si fort que toutes les vitres en tremblèrent. Millie ouvrit et se trouva face à l'énorme silhouette de Boris. Il était encore plus grand que dans son souvenir.

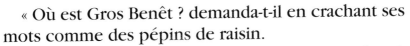

« Où est Gros Benêt ? demanda-t-il en crachant ses mots comme des pépins de raisin.

— Il n'est pas là, répliqua Millie. Il est parti dans le Sud. Il a dit qu'il allait y chercher un homme du nom de Boris. Puis il a dit qu'il allait le tabasser et le transformer en bouillie.

— Quoi ! s'exclama l'homme. C'est moi Boris !

— Oh, c'est drôle ! dit Millie en le regardant de la tête aux pieds. Il a dit que vous étiez grand et fort. »

Boris grogna.

« Mais je suis grand et fort ! Je suis plus grand et plus fort que lui.

— Alors, vous pouvez faire tout ce qu'il peut faire.

— Et même plus, dit Boris. C'est moi Boris le Brave ! C'est moi Boris le Brillant ! C'est moi Boris le... euh ! » Mais il ne put rien trouver d'autre commençant par B.

Millie se demanda pourquoi tant d'hommes passaient tant de temps à se vanter de leurs mérites. Puis elle dit :

« Tous les jours, Gros Benêt tourne la maison vers le Sud pour qu'elle reçoive le soleil.

— C'est un jeu d'enfant », dit Boris en enlevant sa veste, qui, pliée en deux, aurait pu faire une tente. Il appuya son épaule contre la maison et se mit à pousser. Dans un énorme grondement accompagné d'un raclement, la maison fut lentement tournée dans l'autre sens. Millie cligna des yeux dans le soleil et respira l'air doux et chaud.

« Et voilà, dit Boris. Qu'est-ce que je peux faire d'autre ?

— Gros Benêt est si fort qu'il pourrait enfoncer un long morceau de bois à travers la colline, dit l'intelligente femme.

— Une affaire de bébé ! » dit Boris, qui alla chercher un rondin aussi haut qu'une maison. Il le souleva au-dessus de sa tête et, poussant un cri tonitruant, le planta si fort dans le sol qu'il disparut complètement dans la colline.

« Et voilà ! » dit-il, triomphant. Millie regarda dans le trou et y lança un petit caillou. Il y eut un silence, puis... « floc », la pierre avait touché de l'eau. Millie possédait maintenant un puits au sommet de la colline.

« A présent, vous feriez mieux de descendre dans le Sud pour vous battre avec Gros Benêt », dit Millie.

Boris était plutôt fatigué, bien qu'il n'en dise rien.

« Je crois que je vais manger un peu de pain avant de partir », dit-il en écartant Millie pour entrer dans la maison. C'est alors qu'il aperçut Gros Benêt dans le lit.

« Gros Benêt ! » gronda-t-il, et il traversa la pièce dans sa direction. Benêt avait si peur qu'il se mit à trembler. Il serra si fort la pierre que lui avait donnée Millie qu'elle se brisa en mille morceaux.

Avant que Boris atteigne le lit, Millie se mit à crier :

« Attention, Boris, c'est bébé Binet. Si vous lui faites mal, Gros Benêt ne sera pas très content. »

Boris s'arrêta.

« Bébé Binet ? » dit-il en regardant la taille de la personne dans le lit. Puis il jeta un coup d'œil à la pierre cassée par terre et se sentit soudain très faible. Il quitta la maison à toute vitesse, dévala la colline et on ne le revit jamais plus dans les environs.

Gros Benêt avait eu si peur qu'il trembla encore pendant trois jours. Mais il tint parole et finit par admettre :

« Tu avais raison, Millie Binet : mieux vaut en avoir dans la tête. Je suppose que maintenant, tu vas vouloir que ce soit moi qui fasse tout à la maison.

— Non, dit Millie. N'en fais que la moitié... et arrête de te vanter. » Et tous deux vécurent très heureux jusqu'à la fin de leurs jours.

LE GÉANT SOLITAIRE

 Tougrand, le géant, jouait continuellement des tours aux gens. Parfois, il tapait du pied pour provoquer un tremblement de terre. D'autres fois, il toussait pour produire un bruit semblable au tonnerre. Mais son tour préféré était de déguiser son nez en colline. Puis, lorsque les gens grimpaient au sommet, il éternuait et les faisait dégringoler. Il riait toujours lorsque ses tours réussissaient, mais au fond de lui, Tougrand était très malheureux ; il était seul.

Un jour, il aperçut une vieille femme qui traversait le bois. Il décida de faire son numéro de toux-tonnerre pour lui faire croire qu'il allait pleuvoir ; mais au lieu de se précipiter chez elle pour rentrer son linge, elle se tourna vers lui :

« Alors, tu as cru me faire peur, hein ? C'est raté, désolée... »

Tougrand en resta confondu. Après tout, elle était si petite et il était si... eh bien, grand.

« Mais moi, je peux faire quelque chose pour toi, dit-elle. Je parie que je peux te rendre heureux en un jour.

— Qu'est-ce que tu paries ? demanda Tougrand, qui commençait à être intéressé.

— Si je te rends heureux, tu dois promettre de ne plus jamais jouer de tour à personne, répondit la vieille femme.

— Et si tu ne me rends pas heureux ? dit-il.

— Alors, je te servirai éternellement. »

Tougrand ne savait pas résister à un défi, surtout lorsqu'il était sûr de gagner. En effet, même si par hasard elle le rendait heureux, il ne l'admettrait pas. Il acquiesça donc :

« D'accord !

— Bien, buvons un coup pour conclure l'affaire, dit la vieille femme en tendant une bouteille à Tougrand.

— Qu'est-ce que j'ai à perdre ? » dit Tougrand en avalant le liquide d'un trait. Mais il n'avait pas plutôt fini qu'il y eut un gros éclair. La tête lui tourna. Puis il se mit à rapetisser. Il devint de plus en plus petit, jusqu'à devoir lever les yeux vers la vieille femme. En fait, il avait la taille d'un enfant.

« Tu m'as bien eu ! s'exclama-t-il.

— Ne t'inquiète pas. La magie ne dure qu'un jour, répliqua la femme. Après, tu redeviendras un géant. » Puis elle tourna les talons et s'en alla.

Tougrand se rendit en ville. Quand il était un géant, il ne lui fallait que dix pas, mais à présent, cela prit dix minutes. A chaque pas, il devenait de plus en plus maussade et malheureux.

En ville, il reconnut quelques-uns des enfants auxquels il avait fait peur la semaine auparavant.

« Je vais un peu les secouer », pensa-t-il.

Oubliant qu'il était maintenant de la même taille qu'eux, il tapa du pied pour leur faire croire qu'il y avait un tremblement de terre. Mais comme il était petit, il ne se passa rien et les enfants le regardèrent simplement avec étonnement.

« Regardez ce garçon. Il est en train de danser », dit l'un.

Ils aimaient tous danser, aussi se joignirent-ils aussitôt à Tougrand, en sautant et en tapant du pied à ses côtés.

Puis, Tougrand voulut leur faire peur – il ouvrit grand la bouche et hurla de toutes ses forces.

« Regardez, il fait le lion, dirent les enfants. Faisons pareil ! » Et ils l'imitèrent. Enfin, Tougrand s'écria :

« Écoutez – je suis un géant ! »

Les enfants s'esclaffèrent.

« Il danse, ensuite il fait semblant d'être un lion, et maintenant il dit des plaisanteries ! »

Tougrand n'avait jamais été si en colère ni si embarrassé. Il s'éloigna d'un pas lourd, mais ils le suivirent.

« Ne t'en va pas ! Reste et joue avec nous. Tu es rigolo. »

Tougrand accepta, pensant : « Après tout, je trouverai peut-être d'autres moyens de les effrayer lorsque je serai redevenu un géant. »

Tout l'après-midi, ils s'amusèrent, puis Tougrand alla goûter chez l'un d'eux. Lorsque la famille découvrit qu'il n'avait pas d'endroit où dormir, on lui donna la chambre d'amis, avec le lit le plus confortable dans lequel Tougrand eût jamais dormi.

Le lendemain matin, il apprit aux enfants des jeux auxquels il jouait du temps de sa jeunesse. Il passait une journée formidable, du genre de celle dont on voudrait qu'elle ne finît jamais.

Cependant, l'après-midi, lors d'une partie de cache-cache dans le bois, Tougrand rencontra la vieille femme et se souvint qu'il était temps de redevenir un géant.

Avant que la femme pût dire un mot, Tougrand s'écria :

« Tu as gagné, je suis heureux ! Très heureux. S'il te plaît, ne me retransforme pas en géant. » Et il tomba à genoux en sanglotant bruyamment.

Souriante, la vieille femme mit la main à la poche.

« Ceci te permettra de rester petit, dit-elle en lui donnant une autre bouteille. A présent, je dois rentrer mon linge. On dirait qu'il va y avoir un orage.

— Merci ! » lui cria Tougrand en ôtant le bouchon de la bouteille.

Les autres enfants arrivèrent juste comme Tougrand finissait de boire. Puis ils allèrent ensemble goûter en ville, Tougrand souriant jusqu'aux oreilles.

« Au fait, nous ne t'avons pas demandé ton nom », dit l'un des enfants.

Tougrand réfléchit un instant.

« Toupetit », répondit-il.

LES FENÊTRES
EN OR

Marie était une petite fille qui habitait avec sa maman une maison située en bordure d'une vallée. De son jardin, elle apercevait une autre maison de l'autre côté de la vallée. Cette maison était très spéciale, elle avait des fenêtres en or.

Marie avait toujours eu envie d'aller voir cette maison. Lorsqu'elle jouait au jardin, elle s'arrêtait souvent pour contempler les belles fenêtres qui étincelaient comme des flammes dans le soleil de l'après-midi. Puis elle soupirait et se disait : « Je voudrais bien vivre dans une maison comme celle-là. Ce doit être merveilleux de regarder par des fenêtres en or. »

Parfois, elle demandait à sa mère de l'emmener se promener de l'autre côté de la vallée, mais celle-ci répondait :

« Pas aujourd'hui, Marie, j'ai tant de choses à faire. Un autre jour, quand je serai moins occupée. »

Pour ses sept ans, la grand-mère de Marie lui offrit une bicyclette neuve rutilante. Marie était ravie, et elle devint très vite experte en la matière. Comme il y avait peu de circulation sur le chemin près de sa maison, Marie avait le droit de faire de petites promenades à bicyclette toute seule. Un jour, elle eut une idée.

« Maman, demanda-t-elle. S'il te plaît, est-ce que je peux traverser la vallée avec ma bicyclette ? Je voudrais vraiment aller voir la maison avec les fenêtres en or. »

La maman de Marie savait que celle-ci était très prudente avec sa bicyclette et elle répondit :

« D'accord, mais fais attention, et...

— Merci, dit Marie, qui sortit précipitamment.

— Et sois rentrée pour le goûter ! » lui cria sa mère.

Marie partit, en restant bien sur le bord de la route et en prenant chaque virage avec beaucoup de précaution. A mesure qu'elle s'approchait de la maison, son excitation grandissait. Enfin, elle allait pouvoir voir de près les fenêtres en or. Peut-être, avec un peu de chance, les habitants de la maison lui permettraient-ils de les toucher.

Elle atteignit enfin le portail de la maison. Elle appuya sa bicyclette contre la haie et souleva le loquet.

« Je vais attendre d'être dans le jardin avant de regarder, pensa-t-elle, retenant son souffle d'impatience. J'en meurs d'envie... »

Cependant, en ouvrant le portail, elle n'y tint plus. Elle devait regarder ces merveilleuses fenêtres en or. Mais lorsqu'elle leva la tête, son cœur se serra ; l'ardeur de son excitation se transforma en une douloureuse déception.

« Mais elles sont en verre, du vieux verre ordinaire ! dit-elle doucement, au bord des larmes. Elles sont... elles sont simplement... banales. Et moi qui croyais tout le temps qu'elles étaient en or. »

Elle n'essaya pas d'aller plus loin. Elle referma le portail, prit sa bicyclette et la tourna en direction du long chemin du retour. En partant, elle jeta un coup d'œil de l'autre côté de la vallée et vit quelque chose qui la fit s'arrêter. Elle apercevait sa propre maison - et les fenêtres étaient en or ! Elles étincelaient comme des flammes dorées. Elle comprit alors pourquoi : elles aussi reflétaient les rayons du soleil de l'après-midi. Après tout, elle vivait bien dans une maison aux fenêtres en or.

LE MEUNIER, SON FILS ET LEUR ÂNE

Un jour, un meunier et son fils emmenèrent leur âne au marché d'une ville voisine pour le vendre. En chemin, ils rencontrèrent un groupe de jeunes filles.

« Regardez ! dit l'une d'elles en les montrant du doigt. Quelle idée de peiner sur cette route poussiéreuse alors que l'un d'eux pourrait monter sur l'âne. Quelle bêtise ! »

Le meunier, qui était un brave homme, dit à son fils :

« Bonne idée. Monte, toi. » Et il aida son fils à s'installer sur l'âne.

Ils poursuivirent leur voyage et, quelque temps après, rencontrèrent trois vieillards.

« Eh, meunier ! s'écria l'un d'eux. Ton fils est bien paresseux. C'est lui qui devrait marcher, pas toi.

— Hum, peut-être qu'ils ont raison », dit le meunier, et il échangea sa place avec son fils.

Ils continuèrent un peu plus loin, puis rencontrèrent un petit groupe de femmes et d'enfants. Une des femmes les montra du doigt et dit :

« Espèce de vieil égoïste ! Pourquoi ne laisses-tu pas monter aussi le pauvre garçon ?

— Elle n'a pas tort », dit le meunier, qui souleva son fils. Ils poursuivirent leur voyage, tous deux sur le dos de l'âne.

Ils étaient presque arrivés à la ville lorsqu'un homme venant dans la direction opposée demanda :

« C'est votre âne ?

— Oui, répondit le meunier. Nous allons le vendre au marché. Pourquoi ?

— Eh bien, la pauvre vieille bête sera bientôt épuisée de vous porter tous les deux ! dit l'homme en caressant le museau de l'âne. Qui voudra vous l'acheter alors ? Pour sûr, il vaudrait mieux que vous portiez l'animal. »

Le meunier et son fils se regardèrent.

« C'est une très bonne idée », dit le meunier et, à l'aide d'une corde et d'une perche solide, ils portèrent l'âne en ville.

Les habitants n'avaient jamais rien vu de si drôle.

« Regardez ça ! dit un homme. Ils essaient de porter un âne ! » Ils se mirent tous à rire, jusqu'à en pleurer.

Cela ne faisait rien à l'âne de se faire porter, mais il avait horreur qu'on se moque de lui. Il rua dans la corde et se démena tant et si bien qu'elle se rompit avec un « clac ! ». Puis il quitta la ville au galop et on ne le revit jamais plus.

Le meunier et son fils rentrèrent tristement chez eux à pied.

« Je n'aurais pas dû essayer de faire plaisir à tant de monde, dit le meunier en soupirant. Finalement, je n'ai contenté personne. On dirait bien que c'est moi l'âne, maintenant. »

LE NOUVEAU TOUR DE LA PRINCESSE TABATHA

Le roi Théodore et la reine Félicité étaient aimés de tous dans le pays. Toutefois, on ne pouvait en dire autant de leur fille, la princesse Tabatha. Celle-ci était ce que l'on pourrait appeler une petite peste.

Tabatha adorait faire des tours aux gens. Parmi les meilleurs : mettre du yaourt moisi sous la poignée des portes, de sorte que les serviteurs se salissaient continuellement les mains ; s'approcher doucement du chat de la cuisinière lorsqu'il dormait et aboyer bruyamment comme un chien, ce qui faisait miauler l'animal de terreur. Son tour préféré, toutefois, était de lever le pont-levis au moment où la limousine royale arrivait au palais. Elle adorait la voir s'arrêter dans un grincement de freins devant les douves.

Elle aurait mis des araignées énormes dans le lit des visiteurs importants, si ce n'était qu'elle avait une peur affreuse des araignées.

Un jour, Tabatha se trouvait dans sa salle de bains privée. La reine croyait qu'elle se lavait les dents, mais en réalité, elle était en train de fabriquer des bombes à eau pour les lancer de la fenêtre sur les sentinelles du château. Elle remplit le dernier sac d'eau, puis alla ouvrir la porte fermée à clé. Celle-ci était coincée. Elle poussa plus fort et la clé finit par tourner. Mais cela avait donné une idée à Tabatha. Elle en oublia les bombes à eau aussi sec.

Tabatha referma la porte à clé et se mit à hurler :
« Au secours, je suis coincée dans la salle de bains ! Au secours ! »

La cuisinière entendit ses cris, abandonna ses fourneaux et se précipita en haut. Elle fit tous ses efforts pour ouvrir la porte, pendant qu'à l'intérieur, la princesse Tabatha lisait une bande dessinée, tranquillement assise sur le bord de la baignoire.

Au bout de dix minutes, Tabatha tourna la clé, ouvrit la porte et dit avec un sourire malicieux :

« Oh que je suis bête ! J'ai oublié d'ouvrir. »

La cuisinière allait la gronder lorsque le détecteur de fumée se déclencha dans la cuisine.

« Mes gâteaux ! » s'exclama-t-elle, et elle dévala l'escalier.

Le samedi, comme elle savait qu'un serviteur était en train de mettre du linge dans la machine à laver, la princesse essaya le même tour.

« Au secours, je suis coincée dans la salle de bains ! Au secours ! »

Cela marcha de nouveau. Alors que le serviteur montait l'escalier quatre à quatre, elle ouvrit la porte et dit :

« Je vous ai fait courir ! »

Il était si fâché qu'il mit trop de poudre dans la machine et la mousse déborda de partout.

Ce soir-là, le roi et la reine durent se rendre à un important banquet officiel. Anne, la baby-sitter, regardait son feuilleton policier préféré à la télévision lorsqu'elle entendit :

« Au secours, je suis coincée dans la salle de bains! Au secours !

— J'arrive ! » cria Anne, qui bondit et monta l'escalier aussi vite que possible. Une princesse Tabatha toute souriante l'accueillit, qui lui dit :

« Vous avez eu peur, hein ? »

En colère, Anne dit : « Un jour, vous essaierez ce tour et personne ne vous croira ! » Ceci réveilla les jeunes princes, qui se mirent à brailler, et Anne dut les calmer. Lorsqu'elle put enfin retourner devant la télévision, elle avait manqué la fin de l'émission.

Les jours suivants, la vilaine princesse essaya son nouveau tour sur à peu près tout le monde. Puis le mercredi soir, alors que ses parents se reposaient à la maison, ils entendirent un cri perçant.

« Maman ! Papa ! Je suis coincée dans la salle de bains et il y a une énorme araignée ! Au secours ! »

Le roi et la reine savaient combien leur fille avait peur des araignées. Ils coururent à la salle de bains, mais malgré tous leurs efforts, ne purent ouvrir la porte. A l'intérieur, Tabatha continuait à pleurer.

« Elle doit dire la vérité, dit la reine.

— Je vais appeler les pompiers », ajouta le roi.

Bientôt, le hurlement d'une sirène retentit dans la cour du château. Les pompiers se précipitèrent et attaquèrent la porte à coups de hache. Ils la démolirent... pour trouver Tabatha assise dans la baignoire en train de lire.

« Où est le feu ? » demanda-t-elle en souriant, d'un air moqueur.

Le roi devint aussi rouge qu'une voiture de pompiers et se confondit en excuses.

La semaine d'après, une nuit, après que la porte cassée eut été réparée, Tabatha alla chercher à boire dans la salle de bains. La porte neuve était un peu dure et lorsqu'elle voulut sortir, la porte était coincée. Elle tira, poussa aussi fort que possible pendant une éternité, mais en vain. La porte était bel et bien coincée.

Elle s'assit sur le bord de la baignoire. Elle réfléchissait déjà comment tourner la situation en un de ses meilleurs tours lorsque ses yeux se posèrent sur quelque chose qui lui glaça le sang. Venant de la bonde de la baignoire rampait la plus grosse, la plus noire, la plus velue des araignées qu'elle eût jamais vue. Tabatha bondit de l'autre côté de la pièce et se tapit contre le mur, regardant fixement l'araignée, qui était maintenant tranquillement installée sur le bord de la baignoire. C'était un vrai monstre.

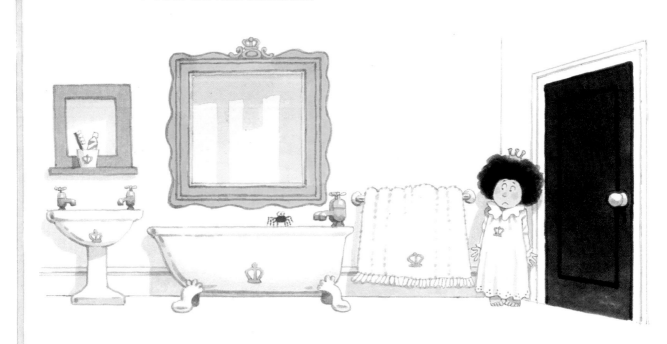

Un instant, elle fut trop terrifiée pour crier, mais lorsqu'elle ouvrit la bouche, elle hurla.

« AAAHHH ! UNE ARAIGNÉE ! AU SECOURS ! JE SUIS COINCÉE ! AAAHHH ! »

Elle entendit bientôt la voix du roi derrière la porte.

« Désolé, Tabatha, tu as essayé ce tour une fois de trop - nous ne nous y laissons plus prendre. Tu peux sortir quand tu veux. Bonsoir. » Et il alla se coucher.

Tabatha passa la pire nuit de sa vie. Bien que l'araignée se fût endormie sur le bord de la baignoire, Tabatha pensait qu'elle était bien réveillée, prête à bondir. Elle resta là, raide, collée au mur, les yeux fixés sur l'araignée toute la nuit.

Au matin, l'araignée venait de disparaître par la bonde lorsque son père ouvrit la porte d'une poussée et découvrit sa fille, blanche comme un linge.

« Pas de mal, dit-il en regardant la baignoire vide. Tu ferais mieux d'aller au lit maintenant. »

La princesse Tabatha était trop fatiguée pour protester. Elle se coucha et s'endormit bien vite ; mais à son réveil, elle n'était plus du tout la même.

IDIOT DE MACADAM

Il n'y a pas si longtemps vivait un homme du nom d'Adam Macadam. Sa femme l'appelait autrement. Elle travaillait dur, mais Adam Macadam semblait toujours perdre leur argent ; elle l'appelait donc Idiot de Macadam.

« Tu me rends folle ! » criait-elle souvent, ce qu'on dit parfois quand on ne sait plus quoi faire.

On pourrait penser que madame Macadam était du genre embêtante, mais pas du tout. C'était simplement une femme très gentille, mariée à un homme très stupide.

Un matin, alors qu'Adam Macadam s'était montré particulièrement bête cette semaine-là, sa femme compta leur argent. Ce fut vite fait.

« Deux boutons et un vieux ticket d'autobus. On n'a plus un sou, grâce à toi, dit-elle. Tu me rends folle !

— Désolé, répliqua-t-il.

— Nous n'avons même pas assez pour acheter une part de pizza. Il ne te reste plus qu'à aller vendre quelque chose au marché aux puces. Il y en a un en ville cet après-midi. Viens, on va essayer de trouver des vieilleries – nous devons bien avoir quelque chose que quelqu'un voudra nous acheter. »

Ensemble ils cherchèrent partout dans le grenier, fouillèrent la cave et fouinèrent dans le garage. A la fin de la matinée, ils examinèrent le tas d'objets

hétéroclites. Il y avait une raquette de tennis avec trois cordes, un puzzle auquel manquaient des pièces, une lampe en forme de bateau, une vieille lunette de cabinet et bien d'autres choses encore pas très utiles.

« On devrait en tirer quelque chose, dit madame Macadam. Mais c'est dommage que nous n'ayons rien de valable à vendre. »

Ils chargèrent le tout dans la voiture, puis Adam Macadam alla chercher les lunettes et le vieux casque d'aviateur en cuir qu'il portait toujours pour conduire. (Au volant, il aimait faire semblant de piloter un avion et se servait du klaxon pour abattre des avions ennemis.)

« Bien sûr ! Comment n'y ai-je pas pensé plus tôt ? dit madame Macadam. Tu peux vendre ce vieux casque. Il est assez ancien, il doit valoir pas mal.

— Oh, mais c'est ce que je préfère... » se plaignit Adam ; mais en voyant l'expression sur le visage de sa femme, il s'arrêta.

« Je vais le vendre », soupira-t-il.

Adam Macadam partit en direction de la ville. Alors que la voiture avançait en cahotant (elle était très vieille), il aperçut son ami Louis qui marchait dans la même direction. Il ralentit et s'arrêta à sa hauteur.

« Bonjour, Louis, je t'emmène ?

— Non merci, répondit Louis. Je cherche juste un endroit où m'asseoir pour déjeuner. »

Au mot de « déjeuner », l'estomac d'Adam Macadam se mit à grogner très fort.

« Je t'échange quelque chose contre ton déjeuner », dit-il en sautant du véhicule, dont il ouvrit la porte arrière. Rien n'intéressait Louis, lorsqu'il remarqua le vieux casque d'aviateur en cuir sur la tête d'Adam.

L'instant d'après, Adam était au volant de sa voiture, mâchonnant un sandwich au fromage, sans son casque, qui était maintenant en la possession de Louis. Arrivé en ville, il réalisa soudain qu'il n'avait aucune idée où devait se tenir le marché aux puces ; il s'arrêta donc pour demander à un homme. En se garant, ses roues heurtèrent le bord du trottoir et la porte arrière s'ouvrit.

L'homme s'arrêta et regarda à l'intérieur de la voiture.

« Je suppose que vous allez au marché aux puces, dit-il.

— Oui, comment le savez-vous ? demanda Adam.

— Oh, juste une petite idée, répliqua l'homme. Écoutez, je vous donne dix pièces d'or pour le tout. »

Il avait calculé qu'en vendant le bric-à-brac d'Adam, il en tirerait bien plus.

« Dix pièces d'or ? dit Adam.

— Bon, onze. Je ne peux pas dire mieux. Mais il faudra aussi donner la voiture en prime.

— D'accord », dit Adam en tendant les clés du véhicule à l'homme.

Adam Macadam s'apprêtait à repartir chez lui lorsqu'un bruit l'arrêta net. Il regarda sur la route et aperçut une femme-orchestre. Elle jouait devant une foule nombreuse qui applaudissait bruyamment et jetait des pièces dans son chapeau.

« Voilà un bon moyen de gagner de l'argent », pensa Adam Macadam. Il s'approcha de la femme.

« Je te donne onze pièces d'or pour ton orchestre, dit-il.

— D'accord, répondit-elle. De toute façon, je suis bien trop vieille pour ça. »

Adam Macadam se mit à jouer. Mais il comprit bien vite qu'il y avait un problème : il n'avait jamais interprété de musique auparavant. Le bruit qu'il faisait était pire que terrible.

La foule se mit à le huer et à crier des remarques désobligeantes du genre « Tais-toi ! » et « Épargne-nous ! » Une femme dit :

« On dirait six chats qui se battent dans une poubelle ! » Et un par un ils s'en allèrent en se couvrant les oreilles, laissant Adam Macadam tout seul. Il ne lui restait plus qu'à rentrer chez lui.

Il lui fallut une éternité, car l'orchestre était très lourd. Il était presque arrivé, lorsqu'il aperçut de nouveau Louis, qui lui dit :

« S'il te plaît, aide-moi Adam. Demain, c'est l'anniversaire de mon fils et je ne lui ai pas encore acheté de cadeau... et maintenant, tous les magasins sont fermés. »

Adam réfléchit, puis eut une idée géniale.

« Et ça ? dit-il en montrant l'orchestre.

— Super ! s'écria Louis. Oh, mais je n'ai pas d'argent !

— Je te l'échange contre mon vieux casque d'aviateur », dit Adam. Et les deux hommes firent de nouveau l'échange.

C'est ainsi qu'Adam Macadam arriva chez lui.

« Tu as vendu les trucs ? demanda sa femme.

— Euh... oui, répondit-il.

— Eh bien, au moins tu as fait quelque chose de bien. Donne-moi l'argent, s'il te plaît.

— Je l'ai échangé contre un orchestre, dit Adam.

— Alors, donne-moi l'orchestre, continua sa femme.

— Je l'ai échangé avec Louis contre mon vieux casque d'aviateur, répliqua-t-il.

— Et pourquoi avait-il ton casque, espèce d'idiot ? demanda sa femme.

— Parce que je l'ai échangé contre son déjeuner en allant en ville », dit-il.

Madame Macadam écarquilla les yeux et se mit à trembler de colère.

« Tu me rends folle ! dit-elle entre ses dents. Tu veux dire que tu es parti avec un tas de choses et un casque d'aviateur, et que tu ne reviens qu'avec le casque ?

— Euh... oui, bredouilla cet idiot d'Adam.

— Idiot de Macadam ! cria-t-elle. Tu me rends folle depuis trop longtemps – maintenant, c'est moi qui vais te rendre fou. Où est la voiture ?

— Je l'ai vendue aussi.

— Eh bien, je vais me servir de ça ! » dit-elle en s'emparant d'une canne.

Elle le poursuivit hors de la maison, et croyez-moi, cette fois, c'est elle qui le rendit fou.

L'Arbre Généreux

Il était une fois une forêt où peu de gens venaient jamais. Au milieu de cette forêt se trouvait une clairière dans laquelle se dressait un arbre. Son tronc était droit et haut, ses branches étaient robustes, ses feuilles superbes et ses fruits avaient le goût du paradis.

Un matin, l'arbre s'éveilla, comme d'habitude, au son des chœurs des oiseaux et des autres créatures de la forêt. Il étala ses branches et fit bruisser ses feuilles pour saluer le jour nouveau. Puis il baissa les yeux et vit un panier dans lequel dormait un bébé, une petite fille.

L'arbre attendit, mais personne ne vint chercher l'enfant. Peu après, celle-ci s'éveilla et se mit à pleurer.

« Tu as faim, dit l'arbre, tu peux prendre mes fruits. »

Il secoua une de ses branches. Un fruit tomba dans la bouche du bébé et se transforma aussitôt en un jus plus sucré que le lait maternel.

Six fois le bébé pleura ce jour-là, et chaque fois, l'arbre le nourrit de ses fruits. Le lendemain matin, le panier et le bébé avaient disparu.

Dix ans plus tard, une petite fille se tint devant l'arbre.

« Tu ne me reconnais pas ?
dit-elle. Je suis le bébé que tu as nourri.
Que vas-tu me donner maintenant ?

— Tu peux prendre mes brindilles et
mes feuilles », répondit l'arbre. La fillette
grimpa à l'arbre et joua dans ses branches. Elle se
balança dessus, puis cassa un rameau dont elle fit
une épée pour jouer aux pirates. Au plus chaud
de la journée, les feuilles de l'arbre protégèrent l'enfant
du soleil. À l'approche du soir, la fillette partit.

Quelques années plus tard, adolescente, elle revint.

« Que vas-tu me donner ? demanda-t-elle.

— Tu peux prendre mes branches », dit l'arbre.
La jeune fille scia les branches de l'arbre et les
emporta pour se construire une maison en bois.

Plusieurs années s'écoulèrent. Lorsque la jeune fille
revint, c'était une jeune femme.

« Et maintenant, que me donnes-tu ?

— Tu peux prendre mon tronc », répondit l'arbre.
La jeune femme abattit le tronc et en fit une pirogue.
Puis elle prit la mer et partit voyager. L'arbre était à
présent une souche.

Bien des années passèrent. Un jour, une vieille femme
se trouva près de la souche.

« Que me donneras-tu maintenant ? demanda la femme.

— Je n'ai rien de plus à offrir que ce que je suis. Tu peux prendre ma souche », répondit l'arbre.

La vieille femme s'assit.

« Toutes ces années, tu m'as donné à manger, un abri, de quoi jouer et voyager. Maintenant, que puis-je te donner, Arbre ?

— J'étais là à ton commencement, et à présent je suis la dernière page de ton livre. Raconte-moi ta vie. »

Alors, la vieille femme raconta à l'arbre sa vie et ses voyages : les gens qu'elle avait vus et les endroits où elle était allée. L'arbre écoutait.

Lorsque la nuit tomba, la vieille femme ne partit pas. Elle se recroquevilla sur la souche et s'endormit pour la dernière fois.

Cette nuit-là, il se produisit quelque chose de magique et le lendemain matin, dans cette clairière de la forêt où peu de gens venaient jamais, se dressait l'arbre. Il était plus beau et plus sage qu'il ne l'avait jamais été.

DISCOVER ⚛ SCIENCE

WEATHER

KINGFISHER
LONDON & NEW YORK

Distributed in the U.S. and Canada by Macmillan, 175 Fifth Ave., New York, NY 10010

First published as *Kingfisher Young Knowledge: Weather* in 2006
This edition published 2017 by Kingfisher
Additional material produced for Macmillan Children's Books by Discovery Books Ltd.
Cover design: Wildpixel LTD.

Library of Congress Cataloging-in-Publication data has been applied for.

ISBN: 978-0-7534-7336-8

Kingfisher books are available for special promotions and premiums. For details contact:
Special Markets Department, Macmillan, 175 Fifth Ave., New York, NY 10010.

For more information, please visit www.kingfisherbooks.com

Printed in China
1 3 5 7 9 8 6 4 2
1TR/0916/UTD/WKT/128MA

Note to readers: the website addresses listed in this book are correct at the time of going to print.
However, due to the ever-changing nature of the Internet, website addresses and content can
change. Websites can contain links that are unsuitable for children. The publisher cannot be held
responsible for changes in website addresses or content or for information obtained through
a third party. We strongly advise that Internet searches are supervised by an adult.

Acknowledgments
The publisher would like to thank the following for permission to reproduce their material.
Every care has been taken to trace copyright holders. *b* = bottom, *c* = center, *l* = left, *t* = top, *r* = right

Photographs: 1 Getty/Michael Cogliantry; 2–3 iStock/valdezri; 4–5 Getty/Erik Buraas; 6tr Alamy/Travelshots;
6bl Getty/Christopher Furlong; 7 Corbis/ Don Mason; 8 Getty/Manoj Shah; 9tl Corbis/Nevada Weir;
9r Superstock/Raith/Mauritus; 10–11 Alamy/Richard Cooke; 11tl Science Photo Library (SPL)/Simon Fraser;
12–13 Getty/Emmanuel Faure; 12cr Getty/Johannes Caspersen; 14–15 Getty/Fritz Poelking; 15tl iStock/Jacques van
Dinteren; 15cr Alamy/Mike Greenslade; 16–17 Corbis/Roy Morsch; 16 iStock/4nadia; 18–19 Shutterstock/Minerva
Studio; 18b Corbis/Remi Benali; 19tr Shutterstock/phofotos; 20–21 Getty/David Tipling; 21 Getty/Stockbyte;
22 iStock/onzeg; 23 Getty/Tom Brakefield; 23tr SPL/Pekka Parviainen; 24–25 iStock/PeopleImages; 25tl Getty/Marc
Muench; 25br Getty/Jami Tarris; 26 Getty/Gandee Vasan; 27tl Corbis/Jim Reed; 27 iStock/switas;
28–29 iStock/Africanway; 29tl iStpck/gdagys; 29br Getty/Turner Forte; 30–31 Getty/Rosemary Calvert;
30l iStock/AlesValuscek; 31 Getty/Andre Gallant; 32–33 iStock/Nataliiap; 32t Getty/David Hiser; 32b Getty/Gerbern
Oppermans; 34–35 Getty/David Olsen; 35 Alamy/Steve Bloom; 36–37 Getty/Per-Anders Pettersson; 36cr Getty/David
McNew; 37br Getty/Doug Menuez; 38–39 Getty/Nick Caloyianis; 38bl Masterfile; 38br Corbis/Jim Reed; 40 Keren Su
Corbis; 41tl iStock/Bernhard Staehli; 41br Alamy/Zute Lightfoot; 48 Shutterstock/nadiya_sergey; 49t Shutterstock/Yuriy
Poznuknov; 49b Shutterstock/Hector Conesa; 52tr Shutterstock Images/Yevgeniy11; 52bl Shutterstock/Jaroslav Bartos;
53 Shutterstock/Pakhnyushchy; 56 Shutterstock/Jokerpro

Commissioned photography on pages 42–47 by Andy Crawford
Thank you to models Dilvinder Dilan Bhamra, Cherelle Clarke, Madeleine Roffey, and William Sartin

WEATHER

Caroline Harris

KINGFISHER
LONDON & NEW YORK

Contents

What is weather?

Weather is all of the changes that happen in the air. Water, air, and heat from the Sun work together to make weather.

Warm and sunny

When the Sun is high up in the sky and there are not many clouds, the weather is hot and dry. If it is cloudy, the temperature is lower.

Let the rain fall

Without water, there would be no life on Earth. Rain helps plants grow and gives animals water to drink.

Icy water

Water freezes when it is very cold. This changes the weather. Snow falls instead of rain, and water on the ground turns to ice.

Our star

The Sun is a burning hot star. It is so bright that it lights up Earth. The Sun also helps make our weather. It heats the land and air to make the wind blow, and it warms the oceans to make clouds and rain.

Night and day

Earth spins around once every 24 hours. When one side of Earth faces the Sun, it is daytime there. On the other side of Earth, it is nighttime.

Sun worship

The Inca lived many years ago in South America. They worshiped the Sun. In those days, a lot of people thought that the Sun was a god because it was so powerful.

Burning heat

The Sun's rays can easily burn people's skin. Stay safe in the Sun by covering up and using sunscreen. Never look straight at the Sun.

Blanket of air

The atmosphere is a layer of air that covers Earth. It is where all weather happens. The atmosphere keeps our planet warm and protects it from danger, such as being hit by space rocks.

Blue skies

The sky looks blue on a clear day. This is because of the way sunlight shines through Earth's atmosphere.

Breathe in

The atmosphere is made
up of a mixture of gases.
Both plants and animals
need these gases to live.

Up and away

The atmosphere has five
layers. The one closest to
Earth is the troposphere.
This is where clouds form.
The layer farthest from
Earth is the exosphere.

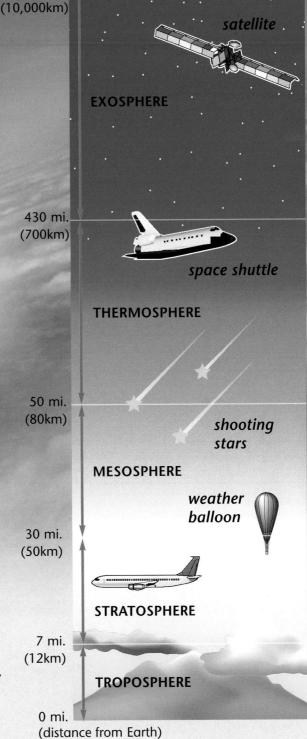

Layers of the atmosphere

6,200 mi.
(10,000km)

satellite

EXOSPHERE

430 mi.
(700km)

space shuttle

THERMOSPHERE

50 mi.
(80km)

*shooting
stars*

MESOSPHERE

*weather
balloon*

30 mi.
(50km)

STRATOSPHERE

7 mi.
(12km)

TROPOSPHERE

0 mi.
(distance from Earth)

Changing seasons

Most countries have four seasons: winter, spring, summer, and fall. Seasons change because of the way Earth orbits the Sun. Each orbit takes one year.

Earth on the move

Earth tilts, so each pole is closer to the Sun and is warmer at different times of the year. When it is summer in the north, it is winter in the south.

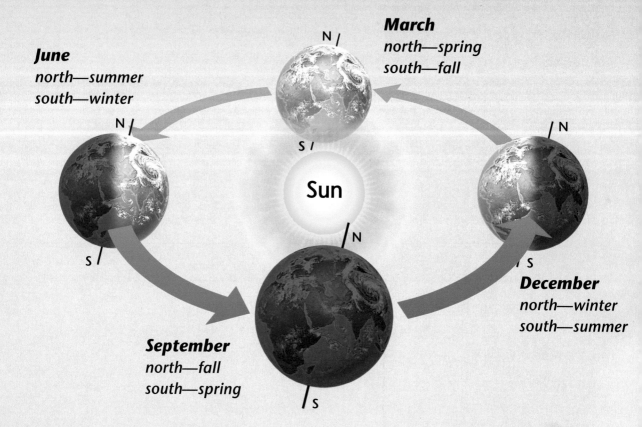

March
north—spring
south—fall

June
north—summer
south—winter

Sun

December
north—winter
south—summer

September
north—fall
south—spring

Spring and summer

In the spring, flowers bloom and many animals have babies. The warm weather of the summer follows the spring.

spring

Fall and winter

At the end of the summer, the fall arrives and the leaves fall off the trees. Then comes chilly winter.

fall

World climates

The normal weather in a place is called its climate. There are different types of climates around the world. Some are hot and dry, while others are freezing cold or warm and wet.

Icy cold

Antarctica has the coldest climate on Earth. The emperor penguins that live there have blubber and special feathers to help them stay warm.

Hot and dry

Deserts form where the climate is very dry and usually cloudless. They can change from sizzling hot during the day to freezing cold at night.

Warmed by the ocean

In Cornwall, U.K., there are palm trees, which usually grow only in hotter places. A warm ocean current makes the climate mild.

Blowing around

The air in the atmosphere is always on the move, blowing from one place to another. This is the wind. Some winds are only gentle breezes. Gales are strong winds that can blow tiles off roofs and people off their feet!

Weathervane
Whenever the wind blows a weathervane around, the arrow on it turns. The arrow stops once it points the way in which the wind is blowing.

Flying kites

People have been flying
kites for thousands of years.
The wind lifts the kite, and
the owner can pull or steer
it with a long string.

Wild winds

Strong winds can be very dangerous. They knock down buildings and injure people. But they are also useful— wind turbines can make electricity.

Dust storm

In places where the soil is dry, strong winds can make huge clouds of dust. These dust storms move quickly and can blow grit into eyes, clothes, and hair.

Twisting wind

A tornado is a spinning funnel of wind that comes from a storm cloud. Some tornadoes are so powerful that they can suck a house off the ground.

Whistling wind

The wind whistles when it blows hard through a small gap. It is the same as when someone whistles through their lips.

Blue planet

Water covers most of Earth. As the Sun warms oceans and lakes, it turns the water into vapor. Vapor is in the air, but it cannot be seen.

The water cycle

Water is always moving. When it rains, water runs into rivers, which flow into the ocean. From there, it turns into vapor and makes clouds. Then it rains again.

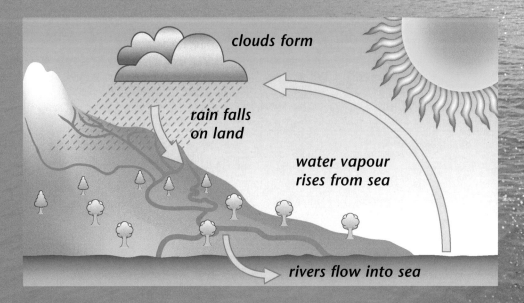

clouds form

rain falls on land

water vapour rises from sea

rivers flow into sea

Healthy water

Humans are also part of
the water cycle. Mineral
and tap water were once
rain. People need to drink
several glasses of water
every day to stay healthy.

dolphins in the ocean

Enormous oceans

Oceans cover 72 percent
of Earth's surface. They
have a huge effect on our
weather. Ocean currents
carry with them warm,
cold, or wet weather.

Mist and clouds

Clouds can be made from tiny drops of water or from ice crystals. They are formed when warm air holding water vapor cools down. Clouds come in all shapes and sizes.

Fluffy cumulus
A cloud's name describes how high up it is and what it looks like. For example, the fluffy clouds seen in warm weather are called cumulus.

Glowing at night

Some clouds glow in the dark, just after sunset. They look bright blue and are crisscrossed with wavy lines.

Tiger in the mist

Mist and fog are clouds near the ground. They usually form in cool weather. This tiger's home in the jungle is very wet, so it is misty there even though it is warm.

Out in the rain

A raindrop is made when tiny drops of water in a cloud touch and join together. The raindrop gets larger and heavier, and finally it falls to the ground as rain.

The shape of rain
Rain may look like lines, but each raindrop is usually the shape of a sphere. Most are small— the size of a pencil tip.

Carried by the wind

Storms produce enormous, heavy raindrops. Strong winds keep the rain up in the air for a long time, so the drops get very big.

Leafy umbrella

Like humans, many animals like to shelter from the rain. Orangutans hold handfuls of leaves above their heads to stop getting wet.

Stormy days

A thunderstorm happens when clouds grow bigger and taller and gather more and more energy. Every day, there can be as many as 40,000 storms crashing down around the world.

Lightning strikes

Lightning is a spark of electricity that makes the air glow. It can move between clouds or shoot down to the ground onto trees or buildings.

High as a mountain

Thunderclouds can be enormous. In very severe storms, they can be taller than a mountain!

Hurricane damage

A hurricane is a group of thunderstorms that spin. At the center is a calm circle called the eye. When a hurricane hits land, it can cause a lot of damage.

Wet and dry

Some parts of the world are rainy and wet. Other places are very dry. In deserts, years may pass without rainfall. But in the jungle, it can rain heavily all year long.

Pumping water
During a drought, there is not much rain. In very dry areas, people may have to walk to a well to get drinking water.

Water everywhere

When a lot of rain falls, it can cause floods. These are lakes of water that can cover a large area—even a whole city.

Dry earth

When it does not rain for a long time, the earth can become so dry and hard that it cracks.

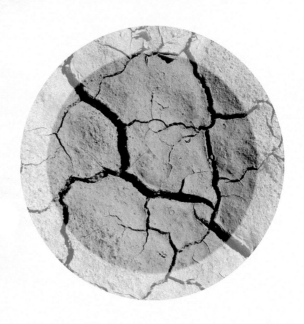

Big freeze

When water gets very cold, it freezes into solid, slippery ice. You can see this as frost on plants and lawns or as the frozen hard layer on a pond.

Handful of ice
Hailstones are balls of ice made in thunderclouds. They fall like rain, and the largest ones can be the size of a grapefruit. Ouch!

Feathery crystals

Frost forms when air near the ground is wet and so cold that it freezes. When it is warmer, this wetness makes dew instead.

Mountains of ice

Ice weighs less than water. This is why huge icebergs float. But only a small part of the ice can be seen. The rest is hidden under the water.

Flakes of snow

Snowflakes are made from ice that forms high up in the clouds. In warm weather, the ice melts and falls to the ground as rain or sleet. If it is cold enough, it falls as snow.

Cozy snow

Snow can keep you warm! The Inuit people, who live in the Arctic, make buildings called igloos from blocks of snow.

Snow shapes

Most snow crystals have six sides, but they never look exactly the same as one another. They all form different beautiful patterns.

Snowfall

Snowflakes are snow crystals that are stuck together. Big flakes form when it is just below freezing. This is when the crystals are stickiest.

Light shows

Sometimes, water and ice crystals can make light look very colorful or unusual. They can cause amazing effects, such as sundogs and the beautiful glowing light of a rainbow.

Colorful rainbow

When it rains and is sunny at the same time, it is sometimes possible to see a rainbow. A rainbow is especially clear if a dark cloud lies behind the rain.

Sundogs

The two lights on each side of the Sun are called sundogs. They happen when sunlight shines through ice crystals in a particular way. The lights follow the Sun like a dog follows its owner.

Extreme weather

Sometimes, weather can be wild and dangerous. Extreme weather can cause storms, floods, wildfires, and droughts.

Waterpower

Floods may stretch over huge distances and cause a lot of damage. They can leave people stranded so that they need to be rescued by helicopter or boat.

Fighting fires

Wildfires break out in hot weather. This is because trees and plants dry out and then burn easily.

El Niño

This is a current of warm
water in the Pacific Ocean
that happens every few years.
It can cause terrible floods,
droughts, and storms.

Rain or shine?

Weather forecasts tell us what the weather will be like for the next few days. Scientists use instruments and computers to make these forecasts.

Storm spotting

Trucks with radar can find storms that are far away. Scientists then follow the storms and measure their strength.

Damp seaweed

There are easy ways of forecasting weather. For example, seaweed gets fat and floppy in wet air. This might mean that rain is coming.

Weather balloons
Scientists use balloons to
lift instruments high up
into the sky. These then
measure the weather.

Future weather

Earth's climate naturally goes through times when it is a lot warmer or icier than it is today. However, many scientists believe that humans are changing the weather.

Smoky cars

The weather may be changing because of pollution. It traps too much of the Sun's heat. This heat would normally escape into outer space.

Getting warmer

Earth's climate is heating up. This makes ice melt and break away from icebergs and glaciers. As a result, the levels of the oceans rise and flood areas of land.

Help for farmers

Scientists are now better at forecasting weather several months ahead. Farmers use these forecasts to help them decide which crops to plant each year.

Riding the wind

Making a kite

Kites soar in the sky because the wind pushes them upward. Decorate your kite with an animal face—try a tiger!

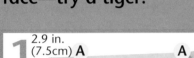
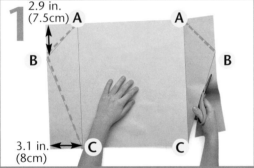

1
2.9 in.
(7.5cm) A   A
B   B
3.1 in.
(8cm) C   C

Following the measurements shown above, draw lines between A and C, A and B, and B and C. Cut the paper from C to B and then B to A.

You will need:

- Scissors
- Sheet of 11x17 in. (A3) paper
- Pencil
- Ruler
- Markers
- Tape
- Hole punch
- 2 long drinking straws
- Colored tissue paper
- Thin cotton string
- Thin stick

2
A   A
C   C

Turn the paper over and decorate your kite. You could draw a tiger. Make sure A is at the top of the kite and C is at the bottom.

3
B   B

Put tape on the corners of the paper at B. Then use the hole punch to make holes through the tape 1 in. (2.5cm) from the edge, at B.

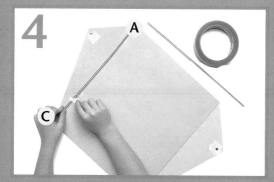

Turn the kite over. Use the tape to fasten the straws on both sides of the paper along the lines between A and C.

Using the scissors, cut strips of colored tissue paper 8 in. (20cm) long. Tape the strips along the bottom edge of the kite.

Now your kite is ready to fly! Take a trip to a park and ask an adult to throw the kite high up into the air. Pull it along, holding tightly onto the stick.

Thread 30 in. (80cm) of string through the punched-out holes and tie the ends together. The sides of the kite should slightly bend inwards. Wind another long piece of string onto the stick. Tie the end to the middle of the string on the kite.

Sun catcher

Flashing lights

Your sun catcher will sparkle in the sunlight. If you place it near fruit bushes, it can help scare away birds and stop them from eating the berries.

Place two CDs on paper with the shiny sides facing down. Spread on glue. Stick the CDs together. Leave to dry. Repeat with the other CDs.

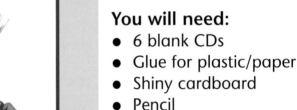

You will need:
- 6 blank CDs
- Glue for plastic/paper
- Shiny cardboard
- Pencil
- Scissors
- Thread (6x8 in. (20cm),2x10 in. (25cm), 1x14 in. (35cm))
- String (14 in. (35cm))
- Small bells
- Stick (10 in. (25cm))

Draw six moons and six stars on the cardboard. Cut them out. Glue two star shapes together, shiny sides out. Repeat with all shapes.

Ask an adult to make a small hole in the point of each star and moon. Poke 8 in. (20cm) of thread into each hole and pull it halfway through.

Tie the three longer pieces of thread to the stick, with the longest in the middle. Pull the end of each piece of thread through a glued CD and tie it tight to the top of the CD.

Add the moons, stars, and bells. These can be tied on to the thread and hung down from the CDs.

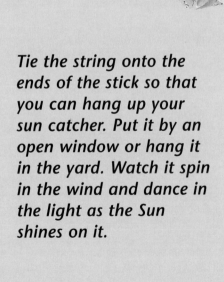

Tie the string onto the ends of the stick so that you can hang up your sun catcher. Put it by an open window or hang it in the yard. Watch it spin in the wind and dance in the light as the Sun shines on it.

Creating colors

Make a rainbow
See how water is able to split light into different colors to make an amazing rainbow in your home.

You will need:
- Glass container
- Small mirror
- Flashlight
- Water pitcher

1

2

Place the glass container on a table in a room with plain, light walls. Use the pitcher to half fill the container with warm water.

Put the mirror in the container and slightly tilt it upward. Close the curtains and turn off the lights so that the room is very dark.

rainbow

Shine the flashlight onto the mirror and a rainbow should appear on the wall.

Swirling winds

Make a tornado

The swirling water in this experiment acts in the same way as the spinning winds of a wild tornado.

You will need:
- Big plastic bottle with cap
- Dishwashing liquid
- Food coloring
- Glitter

1 Fill the bottle with water and add three drops of dishwashing liquid and some food coloring. Shake in some glitter, which will act like the dust that a tornado picks up.

tornado

Tightly screw the cap back on and then swirl your bottle around in circles. Quickly put it down and watch what happens.

48 Glossary

Arctic—the area around the North Pole

blubber—a layer of fat

breeze—a gentle, light wind

crystal—a substance or mineral found in nature that has formed into a regular shape

current—a river of warmer or cooler water in an ocean

cycle—events that happen again and again in the same order

dew—drops of water that form on grass and other surfaces when vapor in the air cools

drought—a long period of time without rain

effect—a result

energy—power and force

extreme—most unusual or severe

fog—a thick cloud of tiny water droplets in the atmosphere

freeze—to turn to ice

frost—small white ice crystals that form on the ground when the temperature falls below freezing

funnel—a tube shape with a wider top and narrower bottom

gas—a shapeless substance, such as air, that is not solid or liquid

glacier—a solid river of ice

instrument—a tool used to take measurements

jungle—a hot, wet place full of trees and plants

mineral water—water found in nature, often bottled and sold as drinking water

ocean—a very large area of water

orbit—to move in a complete circle around a star or planet

pole—the point farthest north or farthest south on a planet

pollution—harmful dirt, such as exhaust fumes from cars

produce—to make

radar—an instrument that can locate objects far away by bouncing sounds off them

sphere—a ball shape

star—a large ball of burning gas in space that appears as a point of light in the night sky

temperature—how hot or cold it is

vapor—tiny drops of water in the air that look like mist

well—a deep hole that leads to water under the ground

wildfire—a fire in a forest or grassland

wind turbine—a machine that turns in the wind to make electricity

worship—to show something, or someone, love or respect by praying, chanting, or singing

ray—a beam of light that travels in a straight line

severe—strong and powerful

shelter—to protect from bad weather or danger

sleet—rain mixed with snow or hail

solid—not a liquid or a gas

The content of this book will be useful to help teach and reinforce various elements of the science and language arts curricula in the elementary grades. It also provides opportunities for crosscurricular lessons in math, geography, and art.

Extension activities

Writing
Which season is your favorite? Write one or two pages describing some of the things you like best about that season, including your favorite activities at that time of the year.

Writen and oral language
Choose a type of severe weather, such as a hurricane or tornado, that you find particularly interesting. Research to find out more about it and write a one- or two-page report. Illustrate it with pictures from magazines or newspapers, or with your own artwork. Give a five-minute report to share what you have learned.

Creative writing
Imagine that you are out in the woods when you realize that a storm is approaching. What do you do? Where do you go? What happens? Write a story about your imaginary experience.

Science
The study of weather relates to the scientific themes of weather and climate and Earth science.

Some specific links to the science curriculum include astronomy (pp. 8–9, 10–11); atmosphere (pp. 10–11); climate change (pp. 40–41); clouds (pp. 22–23); seasons (pp. 12–13); severe weather and natural disasters (pp. 18–19, 26–27, 28–29, 36–37); and technology (pp. 38–39).

Crosscurricular links
Math/graphing
What types of weather are typical at different times of year where you live? Make a graph or chart to keep track of the number of sunny days, wind, rain, etc., in

each month. A single day might include more than one thing to record on your graph!

Writing and art
Research to find the names of different types of clouds, beginning with page 22. Create an illustrated cloud dictionary with a page about each type of cloud.

Geography
Read the newspaper or look online for information about severe weather and/or natural disasters that are happening or have happened recently in different parts of the world. Find each location on a world map and mark it with a symbol representing the type of weather event and the date. Keep your map updated for several weeks or even months.

Using the projects
Children can do these projects at home. Here are some ideas for extending them:

Pages 42–43: Kites can also be made out of newspaper, plastic garbage bags, and other materials. Look for directions on the Internet or in a book about making kites. Make and fly some different types of kites. How do they compare?

Pages 44–45: The sparkle of the sun catcher is caused by sunlight being reflected from the shiny surfaces. What other objects can you find that reflect sunlight? Create a second sun catcher using small shiny objects that you have found or put together.

Pages 46–47: Look for small rainbows in places where the Sun shines through water or certain objects at the right angle. You might find them near an aquarium or fish bowl, on a surface near a crystal or glass object in a sunny spot, such as a window, or even in the fan of water when a hose is sprayed out into the sunlight.

Did you know?

- Without the weather to spread the Sun's heat around the world, the central areas of the planet would get hotter and hotter and the poles colder and colder. Nothing would be able to live on Earth.

- Roy Cleveland Sullivan was a park ranger in Shenandoah National Park in Virginia. Between 1942 and 1977, Sullivan was hit by lightning on an incredible seven different occasions and survived all of them. He lost his big toenail in 1942, his eyebrows in 1969, and had his hair set on fire twice.

- A lightning bolt generates temperatures five times hotter than the 11,000°F (6,000°C) found at the surface of the Sun.

- To see a rainbow, you must have your back to the Sun. Sometimes, double rainbows can form. In the second bow, the colors are always ordered the opposite way.

- Mawsynram is a village in northeastern India. It is the wettest place on Earth, with an average annual rainfall of 475 in. (11,872mm). Most of it falls during the monsoon season.

- The Atacama Desert in Chile is one of the driest places in the world. To obtain drinking water, Chileans have set up fog catchers that look like giant volleyball nets. The water in ocean fog sticks to the nets and is collected.

- The largest types of clouds are known as cumulonimbus clouds, and they contain huge amounts of water. The clouds reach a height of 11 mi. (18km), which is twice as high as Mount Everest.

- On August 6, 2000, a shower of fish fell in Great Yarmouth, Norfolk, England. Sometimes, strong winds during a thunderstorm can scoop up fish and frogs from rivers or the ocean. The animals are carried along in the clouds and later fall like rain!

- At the center of a tornado, winds can reach up to 370 miles (600km) per hour, making them the fastest winds on Earth. A tornado leapfrogs across the land, causing great damage. It can destroy one house and leave the house next door untouched.

- A tiny drop of water will stay in Earth's atmosphere for an average of 11 days. If all of the water in the air fell at the same time, it could cover the whole planet with 1 in. (25mm) of rain.

- The largest hailstone ever recorded fell on July 23, 2010 in Vivian, South Dakota. It measured 8 in. (20cm) in diameter—the size of a bowling ball!

- The lowest world temperature ever recorded was a bitter −123°F (−89.6°C) at Vostok Station, Antarctica, on July 21, 1983.

- The greatest snowfall ever recorded was on Mount Rainier, Washington, in 1972, when more than 98 ft. (30m) of snow fell in one winter.

Weather quiz

The answers to these questions can all be found by looking back through the book. See how many you get right. You can check your answers on page 56.

1) How long does it take for Earth to orbit the Sun?
   A—A day
   B—A month
   C—A year

2) Which layer of Earth's atmosphere is closest to the ground?
   A—Mesosphere
   B—Exosphere
   C—Troposphere

3) Which continent has the coldest climate on Earth?
   A—Asia
   B—Antarctica
   C—Oceania

4) When water is warmed, what does it turn into first?
   A—Vapor
   B—Cloud
   C—Mist

5) What is the center of a hurricane called?
   A—Ear
   B—Eye
   C—Nose

6) Which of these statements is not true?
   A—Ice weighs less than water.
   B—Icebergs float.
   C—Only a small part of an iceberg is under the water.

7) Where do droughts often occur?
   A—In deserts
   B—In mountains
   C—In jungles

8) How many sides does a snow crystal usually have?
   A—Six
   B—Seven
   C—Eight

9) Which of these is a current of warm water in the Pacific Ocean?
   A—El Dorado
   B—El Niño
   C—El Greco

10) What happens to seaweed when it is about to rain?
    A—It gets fat.
    B—It dries out.
    C—It changes color.

11) What is a powerful spinning wind called?
    A—Tornado
    B—Turbine
    C—Cumulus

12) Lightning is a spark of what?
    A—Ice
    B—Electricity
    C—Gas

Books to read

Can Lightning Strike the Same Place Twice? And Other Questions About Earth, Weather, and the Environment (Is that a Fact?) by Joanne Mattern, Lerner, 2010

Climate Change Catastrophe (Can the Earth Survive?) by Richard Spilsbury, Rosen Central, 2010

Earth's Weather and Climate (Planet Earth) by Jim Pipe, Gareth Stevens, 2008

Experiments with Weather and Climate (Cool Science) by John Bassett, Gareth Stevens, 2010

Explorers: Weather by Deborah Chancellor, Kingfisher, 2012

Lightning, Hurricanes, and Blizzards: The Science of Storms (WeatherWise) by Paul Fleisher, Lerner, 2011

Places to visit

Rochester Museum and Science Center, New York
www.rmsc.org
This museum has lots of hands-on exhibits. Lightning flashes, thunder crashes, and mist rises as you enter the weather gallery. You will find out where clouds come from, why it rains, and what causes lightning. In the weather studio, you can use a computer to present your own weather forecast!

Orlando Science Center, Florida
www.osc.org
The weather center in this museum gives you the chance to do a weather report in front of a screen just like the pros. First you will learn how the weather works—from rainbows to tornadoes, and then you can use the forecasting equipment located on the roof of the museum!

The Weather Museum, Houston, Texas
www.wxresearch.org/wpmuseum
Visitors to this museum can experience what it is like to walk through a tornado, or be in the middle of a hurricane! Other interactive exhibits include a computer-generated lighting display, a cloud chamber, and a landscape where you can change the terrain to see how flash floods form.

Websites

http://eo.ucar.edu/webweather/cloud3.html
Find out about the different types of clouds and test your knowledge with some interactive games.

www.scholastic.com/kids/weather
Use this interactive weather maker to create the weather of your choice. You can make it snowy, windy, sunny, or rainy.

www.miamisci.org/hurricane/weathertools.html
This site shows you how to make tools for your own weather station.

www.weatherwizkids.com
All the different types of weather are explained on this website for kids. It also has lots of weather experiments to try out.

Weather quiz answers

1) C	7) A
2) C	8) A
3) B	9) B
4) A	10) A
5) B	11) A
6) C	12) B